CHIN-NIG CHU

A ARTE DA GUERRA PARA MULHERES

EDITORA FUNDAMENTO

Setembro de 2003, Editora Fundamento Educacional Ltda.

Editor: Editora Fundamento

Edição de texto: Editora Fundamento
Tradução: Neuza Capelo
Revisão de texto: Nancy Campi
Capa: Commcepta Design
Editoração eletrônica: Commcepta Design

Fotolito: Sociedade Vicente Pallotti - Editora
Impressão: Sociedade Vicente Pallotti - Editora

Produzido originalmente por HarperCollins*Publishers*

Dados Internacionais de Catalogação na Publicação (CIP)
(Câmara Brasileira do Livro, SP, Brasil)

Chu, Chin-Ning
A arte da guerra/ Chin-Ning Chu; tradutora Neuza Capelo. – Curitiba, PR : Editora Fundamento Educacional, 2003.
168p.

Título original: Working woman´s art of war.
ISBN 85-88350-20-3

1. Mulheres - Conduta de vida 2. Mulheres - Guias de vida 3. Mulheres - Psicologia 4. Mulheres - Trabalho I. Título

03-3918 CDD– 646.70082

Índices para catálogo sistemático:
1. Mulheres: Guia de vida pessoal 646.70082

Fundação Biblioteca Nacional

Depósito legal na Biblioteca Nacional, conforme Decreto nº 1.825, de dezembro de 1907.

Impresso no Brasil

Telefone: 0800 600 77 33
E-mail: info@editorafundamento.com.br
Site: www.editorafundamento.com.br

Sumário

Onde céu e terra se encontram

Este livro não contém os cinco passos para isso ou aquilo; ele mostra paradoxos, escolhas.

Como quem anda pela praia,
explorando a variedade das cores
e formas das conchas do mar,
escolhendo aquelas que mais atraem,
pegando, experimentando,
descobrindo as que melhor servem.

Você pode ver que idéias e estratégias diferentes
parecem mudar conforme a leitura que se faz delas.

Este livro, então,
vai servir pela vida toda.

Aprendendo com a arte da guerra

Antes de travar uma guerra,
devem ser examinados
os cinco elementos essenciais que governam o sucesso.
Só assim é possível uma avaliação adequada.

Número Um – Tao (Retidão),
Dois – Tien (Sincronização)
Três – Di (Terra),
Quatro – Jiang (Liderança),
Cinco – Fa (Administração).
Sun Tzu (1.2)

Por mais que os homens pensem no quanto sabem a respeito das mulheres, só uma mulher sabe como é difícil ser mulher. Além da complexidade de nossa composição física e emocional, como trabalhadoras somos também provedoras que exercem múltiplos papéis na família: esposa, mãe, cozinheira, faxineira, gerenciadora de crise, contadora, professora, lavadeira, jardineira, motorista, enfermeira, psiquiatra, médica, lavadora de louças e coletora de lixo.

Nós, mulheres, para competir neste mundo dominado por homens, sempre tivemos de ser duplamente boas em nossas tarefas e ver homens, com a mesma competência que nós, receberem salários três vezes mais altos.

Os tempos não são os mesmos. Depois da batalha dos sexos travada no século anterior, as mulheres estão mais seguras do que nunca em seu eu feminino.

Recentemente, eu estava em Sydney e tive a atenção despertada por um anúncio que dizia: "Antes, eu queria me casar com um milionário. Agora, quero ser milionária". Esta não é uma atitude expressa apenas na Austrália e nos Estados Unidos; tornou-se um fenômeno internacional – uma corrente de feminilidade universal que atravessa e ultrapassa culturas e fronteiras nacionais.

Este livro não é contra os homens. Nós amamos os homens. Aqui, vamos examinar as estratégias que servem de apoio a todas as mulheres na celebração integral do nosso eu feminino, enquanto conquistamos a liberdade total de alcançar o máximo do sucesso pessoal e profissional.

Não é nenhum segredo que os seres humanos do sexo masculino aceitam os conceitos da guerra e da batalha com muita naturalidade. Por milhares de anos, os homens travaram batalhas pela sobrevivência. Geneticamente, suas mentes ficaram marcadas para pensar como guerreiros.

No Ocidente, a idéia de guerra é deixar que tropas inimigas se enfrentem. Quando ouvimos falar em "arte da guerra", pensamos em batalhas, vítimas, brutalidade.

No entanto, o conceito chinês de arte da guerra, que remonta a 3.500 anos, não está ligado à guerra; é um conjunto de estratégias que procuram fazer tudo da maneira mais fácil possível para se chegar à vitória e à paz. É a habilidade de fazer manobras mentais para alcançar o resultado desejado com o mínimo de esforço.

Essas estratégias da arte da guerra são uma combinação perfeita para as maiores forças naturais da mulher. Intuitivamente, as mulheres sempre utilizaram algumas das estratégias da arte chinesa da guerra ao negociar com maridos, namorados, filhos, patrões, amigos e clientes. Nós não sabíamos que éramos estrategistas disfarçadas. Já está mais do que na hora de aprendermos tudo que se relaciona à arte da guerra.

Entre os antigos tratados sobre estratégia (e havia muitos), **A Arte da Guerra**, de Sun Tzu, escrito por volta de 460 a.C. e originalmente usado para determinar o destino das nações, é o mais popular atualmente. Escolhi esse texto para orientar as mulheres na adaptação de algumas de suas poderosas estratégias, ajudando-nos a vencer as batalhas contra a desigualdade entre os sexos e o preconceito no local de trabalho, por meio da aceitação pessoal, do equilíbrio entre os deveres impostos pela família e pela profissão, pelo cuidado com os filhos e com o escritório. Não escolhi **A Arte da Guerra**, de Sun Tzu, somente por sua popularidade, mas por sua força, por sua fenomenal história de sucesso.

A história provou que a arte da guerra é um sucesso. Quando escreveu os tratados sobre a arte da guerra, Sun Tzu ainda não era um militar; era fazendeiro de profissão e filósofo autodidata. Ele escreveu **Sun Tzu Bing Fa** (bing significa soldado, e fa quer dizer habilidade) como se fosse um currículo, com a intenção de conseguir o lugar de comandante militar do reino de Wu. Depois que o rei o aceitou para o cargo, Sun Tzu pôs sua estratégia à prova.

Houve uma batalha em que, com um exército de apenas 30.000 soldados, Sun Tzu tomou o reino de Zhou, que tinha um contingente de 300.000 homens. Em 482 a.C., vinte anos depois de ter sido aceito como comandante da tropa, Sun Tzu provou a superioridade de suas estratégias ao conquistar as doze nações chinesas, fazendo com que um reino militarmente inferior se tornasse a força dominante da China.

Depois que Sun Tzu morreu, seu sucessor perdeu o controle, só recuperado 261 anos depois, em 221 a.C., sob Chin, o imperador que ficou famoso pela construção da Grande Muralha e por seu túmulo de terracota.

Em 1772, o livro **A Arte da Guerra**, de Sun Tzu, foi traduzido para o francês. Acredita-se que Napoleão tenha lido e adotado muitas das estratégias apresentadas nele. Durante a operação Desert Storm, no conflito entre Iraque e Estados Unidos em 1990-1991, cada oficial da marinha norte-americana recebeu, junto com o material de batalha, um exemplar de **A Arte da Guerra**.

A arte da guerra é universal; é arte, e não guerra. Durante cinco mil anos, os filósofos chineses dedicaram seu tempo a observar e documentar os segredos da natureza e os sutis padrões que a governam. Sun Tzu baseou os princípios de **A Arte da Guerra** nessas observações filosóficas das leis que comandam o universo.

Assim como os filósofos que vieram antes dele, Sun Tzu percebeu que os princípios se aplicavam a qualquer situação. E o mais importante: **A Arte da Guerra**, de Sun Tzu, não trata apenas de competição, mas se aplica com igual propriedade à administração da vida profissional e à motivação das crianças.

A Arte da Guerra, de Sun Tzu, pode ser um tratado antigo, mas é eterno. Na verdade, o que me surpreende é ninguém até hoje ter escrito um livro sobre como as mulheres podem aplicá-lo a todas as situações. Como disse Sun Tzu: "A melhor entre as melhores estratégias é vencer sem lutar". E que mulher não se interessaria por isso?

A Arte da Guerra, de Sun Tzu, tem apenas treze capítulos, sendo que o primeiro é uma espécie de resumo do livro. No primeiro capítulo, Sun Tzu trata da importância dos cinco elementos essenciais da arte da guerra, que devem ser adotados como base dos procedimentos da batalha. Examinando os cinco elementos listados a seguir, posso saber o resultado de uma guerra:

1. Tao (postura moral, retidão)
2. Tien (condições climáticas, sincronização)
3. Di (terra, vantagem e desvantagem)
4. Jiang (liderança)
5. Fa (administração e disciplina)

Organizei este livro em torno desses cinco elementos básicos. Ao tomar contato com cada um deles, você vai descobrir situações da sua vida diária, como mulher, mãe e trabalhadora, às quais **A Arte da Guerra** se aplica brilhantemente.

Sendo proficiente nas estratégias da arte da guerra, você verá o que o seu concorrente não vê e ouvirá as mensagens silenciosas que ele não consegue ouvir. Sua mente vai percorrer atalhos estratégicos que, para os concorrentes, serão impenetráveis.

Você pode tornar-se uma estrategista proficiente, desde que ajuste a sua mira para o que quiser ser: empresária, professora, corretora, produtora de cinema ou astronauta. Se o seu alvo na vida for tornar-se uma mulher feliz e boa mãe (o que é um propósito muito nobre), o estudo da arte da guerra pode oferecer as estratégias que transformam as desvantagens da vida em vantagens, além de ajudar na criação de filhos bem disciplinados e centrados.

Para que nós, mulheres, possamos ter tudo que queremos – o direito de escolher entre usar sapatinhos de cristal ou botas de combate – precisamos da coragem de aprender a pensar como guerreiras e estrategistas eficientes.

Este livro apresenta muitas idéias e estratégias que as mulheres podem pôr em prática para prosperar e fazer escolhas. Com essas ferramentas tão antigas, toda mulher, quer trabalhe em casa ou fora, é capaz de ser uma vencedora amante do prazer, entusiasticamente inovadora, rapidamente adaptável, brilhantemente criativa e feliz.

1 TAO

RETIDÃO

Armado com o senso de retidão
e as bênçãos do céu,
o exército se torna destemido.
Assim, se dispõe a viver e morrer
para alcançar a vitória.
Sun Tzu (1.3)

Muitos fazem uma idéia errada
do que é a verdadeira felicidade.
Felicidade não é satisfação pessoal,
mas fidelidade a um propósito digno.
Helen Keller

O TAO DA ESTRATÉGIA

Aqueles que calculam cuidadosamente
suas estratégias
serão conduzidos à vitória.
Aqueles que calculam suas estratégias
sem cuidado
serão conduzidos à derrota.
Sun Tzu (1.28)

Não foi por acaso que Sun Tzu escolheu *tao* como primeiro elemento da estratégia. Das estratégias da arte da guerra, *tao* é o elemento mais importante para a vitória. *Tao* significa "caminho", "retidão" ou "moralidade", e é também muito mais que isso. *Tao* é definido como a força que está por trás de toda criação. Como disse o mais importante filósofo taoísta, Lao Tzu, *"Não sei como chamá-la, então chamo de* Tao". Tudo que é bom, brilhante, justo, criativo, inovador, arrebatador, doce e alegre tem sua origem no *tao.*

Os líderes de todos os combates, desde as grandes guerras até as pequenas batalhas, sempre se afirmaram homens honrados, porque ninguém os seguiria se não estivesse convencido de estar diante da própria manifestação do céu. Mesmo um tirano satânico como Hitler teve de persuadir o povo alemão de que iria guiá-lo até a glória.

Em toda a história humana, quem traiu o *tao* acabou derrotado. Em 21 de setembro de 1999, por exemplo, um terremoto de 7.4 sacudiu Taiwan e expôs as práticas desonestas de construtores antiéticos que, durante anos, economizaram no material e colheram polpudos lucros. Acontece que eles enchiam as vigas estruturais com nada mais que garrafas plásticas de molho de soja e latas de óleo de cozinha vazias. Muitos desses construtores serão acusados criminalmente pelos danos causados. Bastaram 30 segundos para serem desmascarados pelo *tao*.

Tao é a base dos outros quatro elementos – *tien*, *di*, *jiang* e *fa*. Sem *tao*, não se pode nem começar a discutir os outros quatro. Se você não consegue se convencer e ao seu grupo de que abraçou uma causa justa e moral, desista do projeto; você não vai vencer. Vamos, primeiro, enfocar o *tao* da estratégia.

Estratégia é, na verdade, bom senso. Em todo projeto e toda situação, existe uma retidão, uma integridade, que é o *tao*. Se você puder descobrir como alcançar essa retidão, é porque alcançou o *tao* das estratégias. Faça a coisa certa, e o resultado certo virá – a seu tempo.

Os princípios básicos da estratégia

1. As raízes do pensamento estratégico estão na natureza

Dê ao seu oponente a impressão
de ter a timidez de uma virgem,
e ele vai subestimar você.
Com isso, vai baixar a guarda
e deixar uma brecha.
Faça como o coelho em fuga,

e o seu oponente será tomado pela surpresa
e não conseguirá se defender.
Sun Tzu (11.70)

Os filósofos chineses e os mestres da arte da guerra passaram cinco mil anos observando e documentando a revelação dos segredos da natureza. O que esses filósofos e estrategistas descobriram foi que o ritmo da natureza se aplica a todos os aspectos da vida: é infalível, consistente e natural.

Descobriram que os mesmos princípios que governam a natureza podem ser aplicados à condução da guerra, de transações comerciais e da vida doméstica. Assim como a lei da gravidade, a sucessão das estações do ano e a rotação da Terra em torno do Sol, também a estratégia é consistente e confiável quando aplicada adequadamente.

Os grandes estrategistas aprenderam a identificar os princípios que atuam na natureza, harmonizar-se com eles e ver como eles podem ser transportados para tudo que fazemos na vida. Por exemplo: a água é suave, mais macia do que a pedra, mas com o tempo, provoca a erosão. Uma folhinha de grama se dobra, mas não se quebra sob a ação de um vento forte; no entanto, o mesmo vento arranca pela raiz um poderoso carvalho de 500 anos, com toda sua fortaleza e inflexibilidade. Existe uma grande força na capacidade de ceder. Tanto uma pessoa como um país podem ser inconquistáveis pelo fato de saberem ceder.

Os japoneses adotaram, depois da Segunda Guerra Mundial, o princípio de docilidade da natureza, e com isso conseguiram dominar com sucesso o mercado norte-americano de eletrodomésticos. Com sua atitude humilde, adotando a estratégia de "fingir ser um porco para conseguir devorar o tigre", o Japão levou os Estados Unidos a subestimarem sua ambição e a ameaça que representava para o setor econômico norte-americano.

O *Tao* reconhece um princípio único e unificador nas diversas manifestações que existem em todo o universo. A busca de Einstein e de outros físicos que vieram depois dele por uma Teoria Unificada baseia-se na mesma linha de pensamento. Como Einstein disse certa vez: "Tudo que quero saber é como Deus criou o universo. O resto são detalhes sem importância".

2. *O pequeno pode superar o poderoso*

Quando a vitória é alcançada
devido à óbvia desvantagem
numérica do inimigo,
o vencedor não merece elogios.
Sob tais circunstâncias,
quando um guerreiro se sai bem na batalha
é porque simplesmente fez o que devia.
Sustentar a leveza do ar
não é indicação de força.
Para enxergar o sol e a lua
não é preciso visão aguçada.
Ouvir o ronco do trovão não é sinal
de uma audição excelente.
Sun Tzu (4.8)

Imagine uma pedra enorme em um rochedo, bem à beira do despenhadeiro. Ali, parada, ela não tem poder algum. Basta um esforço mínimo, porém, para empurrá-la despenhadeiro abaixo, liberando a tremenda força da pedra. Por que uma pedra imóvel e outra em queda têm forças inteiramente diferentes? Tudo depende do *momentum* causado pela gravidade e da precisão do impulso dado à pedra.

Qualquer força, por menor que seja, que incorporar movimento e precisão de liberação, vai ter o poder de superar o poderoso. Davi venceu o gigante Golias com a precisão e o impulso de sua funda de atirar pedras.

O recente e espantoso sucesso da Victoria's Secret no ramo da *lingerie* é um exemplo perfeito do uso do *momentum* para criar o sucesso. As mulheres sempre usaram "roupa de baixo" e, no entanto, antes da Victoria's Secret, nenhuma empresa tinha conseguido grande sucesso no ramo.

As roupas íntimas eram como uma pedra na borda de um rochedo. O *momentum* foi a recente obsessão feminina pela onda fashion, junto com a consciência da figura moderna e nossa disposição de gastar dinheiro para ficarmos bonitas. O *design* da Victoria's Secret e o conceito de *marketing* por catálogo foi o mínimo de esforço necessário para deslocar a pedra.

O objetivo da utilização de uma estratégia é aumentar o sucesso do que está em posição de inferioridade. Antes da Victoria's Secret, roupa íntima era considerada como algo "de pouca importância". No entanto, com a precisão do impulso e o *momentum* dos desejos não revelados dos consumidores, a "insignificante" empresa especializada em roupas íntimas conquistou o poderoso mundo da moda.

Ao aprender com o exemplo da pedra que cai, conseguimos ver que, com um mínimo de esforço, é possível liberar nosso próprio *momentum* no sentido de alcançar os objetivos mais sublimes.

3. A estratégia pode ser defensiva ou ofensiva

Quando a vitória for incerta,
adote táticas defensivas;
quando forem maiores as probabilidades de vitória,
adote táticas ofensivas.
Sun Tzu (4.5)

Sempre que visito minha amiga May em Hong Kong, ela brinca, dizendo que vai ganhar dinheiro naquela tarde. O modo que May tem de ganhar dinheiro é jogando mahjong com algumas amigas para passar o tempo. Para ficar mais interessante, elas jogam a cem dólares a partida. E, sem dúvida, May sempre ganha. Quando perguntei como conseguia, ela me explicou: "Quando sinto que estou com sorte, faço um jogo ofensivo. Quando estou sem sorte fico na defesa". Os princípios de Sun Tzu se confirmam na guerra, em uma mesa de mahjong e no mundo dos negócios.

Nos negócios, a proficiência na arte da estratégia não consiste apenas em impor aos outros a sua vontade; consiste também em ter à disposição uma ferramenta defensiva vital. Se não quer ser presa fácil de tramas enganosas, aprenda primeiro, como ferramenta defensiva, a reconhecer e detectar estratégias ardilosas. Quando as pessoas com quem convivemos se fazem de inocentes e humildes sem qualquer razão aparente – muito leais, doces e subservientes – é fácil deixar-se enganar. Compreendendo as estratégias, você vai pensar duas vezes sobre os motivos que as movem e manter a atenção durante todo o relacionamento.

4. *Quem vai pôr em ação a estratégia precisa ter moralidade impecável*

Você só vai saber usar emissários secretos
se estiver alinhado com o Tao
e tiver moralidade impecável.
Sun Tzu (13.14)

Para ser capaz de reconhecer as intenções desonestas do oponente, você precisa de severidade consigo mesma, de uma ética inabalável e de um sólido conjunto de valores morais. Somente contra o pano de fundo da sua integridade pura e clara é possível ver a desonestidade alheia.

Quem tem uma perspectiva deformada enxerga honestidade em pessoas desonestas; não consegue distinguir o bom do mau, o moral do imoral. Sem o *tao*, as estratégias não passam de um saco de truques sujos. Sem o *tao*, quanto mais você tenta usar a estratégia, mais ela se volta contra você.

É por essa razão que Sun Tzu acredita que, para fazer com que emissários secretos lhe tragam informações, você precisa ter padrões morais impecáveis. Sendo imoral, você não vai conseguir perceber se o emissário secreto que você está usando está sendo leal a você ou ao seu inimigo. E a informação obtida pode ser errada ou prejudicial à campanha.

O estudo do *tao* da estratégia ajuda a trazer à luz as idéias brilhantes que podem ser postas em prática no trabalho e no lar. O *tao*, a força que guia o general até a vitória na batalha , é a mesma que orienta a eficiente mulher de negócios ou militante da política no exercício do poder. E é a mesma que vai dar a você a consciência das obras da natureza, sua mestra mais constante.

Adote as estratégias com muito cuidado e total integridade. Assim, as estratégias vão servir melhor a você e dar apoio a cada um dos seus passos.

> Das duas, uma:
> ou você se cala,
> o que acho muito difícil,
> ou assimila rapidamente uma grande quantidade de conhecimentos,
> que é o que tentei fazer.
> ***Jane Fonda (atriz)***

QUEM DISSE QUE NÃO HÁ PROBLEMA ALGUM EM DEPRECIAR AS MULHERES?

> *No universo,*
> *não existem conquistadores eternos.*
> *O sol nos proporciona dias longos e curtos,*
> *e a lua tem fases crescentes e minguantes.*
> ***Sun Tzu (6.26)***

No universo, *yin* (a força feminina) é igual a *yang* (a força masculina). Como disse Lao Tzu, o grande filósofo taoísta, *"O universo, ao carregar em seu seio* yin *e* yang, *infunde ambas as forças com igual energia. E assim, faz-se a harmonia"*. Não foi o céu que criou a desigualdade entre os sexos. A maior culpa, ao menos pelas mazelas do passado, deve ser atribuída aos homens. Quero que todos saibam que não falo contra os homens, e a intenção deste livro não é atacá-los. No entanto, como a história da humanidade é a história deles, e foi escrita e interpretada por eles, foi aí que o problema começou.

Tudo que é contra o *tao* acaba se destruindo. Esta é uma lei universal. Depreciar alguém, com base em diferenças de cultura, religião, sexo ou cor da pele, é contra o *tao*. Então, depreciar a mulher não é *tao*. É uma atitude que vai encontrar a própria correção ou destruição.

Nos primeiros tempos da espécie humana, para garantir a sobrevivência, os homens desenvolveram a força física exigida pela caçada, e as mulheres se especializaram na propagação da espécie e no cuidado com as crias. Considerando-se os elementos necessários à sobrevivência naquele período pré-histórico, esse foi o mais adequado método de divisão de tarefas.

Os ocidentais geralmente ligam a cidade de Xian, o berço da civilização chinesa, ao local onde foram encontradas as estátuas gigantes de terracota e à primeira parada do presidente Clinton, em sua visita à China, em 1998. Tive a oportunidade de visitar o local fascinante da escavação, bem próximo a Xian. Uma sociedade matriarcal antiga e altamente civilizada existiu ali, 6.500 anos atrás, a mais antiga sociedade completa descoberta na China.

Naquela cidade, as mulheres comandavam as reuniões e cumpriam todas as tarefas administrativas, enquanto os homens faziam os trabalhos que exigiam força física, como a caça e a construção de casas – trabalho braçal. Será que a natureza designou o homem para a caça, mas deixou para a mulher a responsabilidade de administrar o clã? Em antigas civilizações chinesas, etruscas e cretenses, entre outras, a posição da mulher era certamente mais que igual. Vamos ver outras falsas atitudes que contribuem para atuais preconceitos contra as mulheres.

Para depreciar as mulheres, os homens se baseiam no seguinte:

- *Valorização da competitividade em detrimento da empatia e da cooperação*

A competição proporciona gratificação instantânea e gera resultados tangíveis. Empatia e cooperação, por outro lado, embora nos deixem em estado de harmonia interior, não produzem gratificação externa. Se percorrermos em sentido contrário o caminho seguido pela evolução da espécie humana, vamos chegar aos habitantes das cavernas, quando os homens competiam, e as mulheres praticavam a empatia.

A maioria das mulheres prefere conviver em harmonia a tentar dominar egoisticamente e adotar atitudes de enfrentamento.

Certa vez, durante um almoço importante a que compareci, um garçom tropeçou e deixou cair a pilha de pratos que levava. Percebi o sofrimento em seu rosto ao observar os cacos espalhados, e meu coração se apertou. Ao mesmo tempo, percebi que meus três companheiros de mesa nem se abalaram; continuaram a almoçar como se nada tivesse acontecido.

Uma amiga me contou uma história parecida. Ela era a convidada de honra de uma conferência e, enquanto estava no palco, viu cair ao chão uma das bandeiras. Apesar de se conter, sua primeira reação foi pegar a bandeira para recolocar no lugar. Enquanto isso, todos os homens que ocupavam o palco mantiveram a mesma atitude indiferente.

Desde o início dos tempos, para garantir a sobrevivência dos filhos, a mãe precisou desenvolver rapidamente a habilidade de compreender a comunicação sem palavras e a empatia pelos sentimentos deles. Com isso, a mulher se tornou mais atenta e sensível ao sofrimento alheio.

Ao contrário da mulher, o homem é mais competitivo e centrado em si mesmo. Quando dois homens se encontram, eles competem para definir logo quem é o melhor. O alto tenta parecer mais alto; o forte flexiona os músculos; o inteligente faz investidas verbais. Pelo fato de ocuparem uma posição desfavorável na evolução humana, as mulheres tiveram suas qualidades diminuídas por cruéis e grosseiras afirmações masculinas.

Nossa sociedade glorifica o ego e a competição, deixando de lado a empatia e a cooperação. O princípio do *tao* é o oposto. As coisas boas são sutis, intangíveis. É importante que as mulheres não compactuem com a glorificação do ego. Empatia e cooperação serão as qualidades máximas no século XXI. Não perca isso de vista na sua busca pelo poder.

O veneno das doutrinas sagradas

É um absurdo pensar que as mulheres sejam espiritualmente inferiores. Será que alguém acredita realmente que Maria Madalena tenha sido relegada a um nível mais baixo do céu, enquanto os outros discípulos de Cristo habitam o primeiro nível? O fato de Maria Madalena não acompanhar sempre Jesus em suas viagens significa apenas que estava presa às práticas culturais e sociais de seu tempo, e não podia passar a noite a céu aberto. Não quer dizer que fosse espiritualmente inferior – os fatos é que foram interpretados assim mais tarde.

Alguns líderes religiosos argumentam que ela não foi convidada para a Última Ceia (segundo a famosa interpretação de Leonardo Da Vinci). Não poderia ser porque era tão avançada espiritualmente, que não precisava da cerimônia do pão e do vinho para estar em união com sua devoção a Cristo? Um ser espiritualmente avançado nunca se separa de seu amado e divino mestre; está em constante alinhamento com Deus.

Existem também certas discrepâncias e interpretações diferentes em relação ao que aconteceu naquela noite decisiva, mais de 2.000 anos atrás. O professor L. Michael White, diretor do programa de estudos religiosos da University of Texas, em Austin, comenta assim o mosaico da igreja de Santa Podenziana, em Roma: "Ali, temos o que parece, à primeira vista, uma cena tradicional descrita no evangelho; Jesus senta-se no meio, tendo à direita e à esquerda os apóstolos. Parece-se muito com a Última Ceia, mas podemos notar duas mulheres sentadas atrás... provavelmente, são a Virgem Maria e Maria Madalena ..."

Considere-se também que, quando Cristo ressuscitou dos mortos, apareceu primeiro para Maria Madalena, que estava sozinha. Esse é um evento muito importante, apesar do pouco destaque dado a ele por todas as igrejas cristãs. Ao aparecer primeiro para Maria Madalena, Cristo reconhece não somente o quanto ela foi devotada e corajosa, cuidando de seu corpo enquanto todos os outros discípulos se escondiam com medo dos romanos, como também demonstra seu apreço pelas mulheres em geral.

Sua aparição para uma mulher simboliza a certeza de que, pela intuição e sensibilidade femininas, ela o aceitaria sem questionar, ao contrário dos discípulos que, ao encontrar Cristo mais tarde, lhe pediram uma prova de que era realmente o Senhor. Não foi por acaso que Ele apareceu para Maria Madalena como primeiro ato depois da ressurreição, em toda sua divindade; foi sua maneira de reconhecer e honrar o quanto a mulher é extraordinária.

Assim como o cristianismo, alguns ramos do budismo entenderam tudo errado. O ramo chinês do budismo foi importado da Índia e exportado para o Japão. Desde então, na antiga China, a religião está intimamente associada à dominação masculina, e o budismo tornou-se naturalmente dominado pelos homens. Como no cristianismo, os padres e monges estão no topo da hierarquia, enquanto as freiras servem àqueles que ocupam posições correspondentes às delas.

A raiz do budismo é o hinduísmo que, no entanto, vê Deus como masculino e feminino. A energia ativa que governa o mundo é simbolizada pelo poder feminino de Shakti; o aspecto masculino de Deus é simbolizado pelo poder latente de Shiva. Sem a energia feminina de Shakti, a energia masculina de Shiva permanece imóvel.

Apesar dessa doutrina sagrada, muitos templos hindus ainda proíbem as mulheres, que estejam no período menstrual, de entrar e prestar culto aos deuses.

A interpretação equivocada de Confúcio

Toda cultura tem suas lendas para explicar por que é justo oprimir as mulheres. Na Ásia, onde vivem trinta por cento da população mundial, as pessoas são fortemente influenciadas pelos ensinamentos de Confúcio e agem de acordo com interpretações equivocadas de suas palavras.

A origem de todo esse mal-entendido está nesta única frase: "É difícil argumentar com homens ignorantes e com mulheres". Por causa dessa afirmação, as mulheres asiáticas foram maltratadas por milhares de anos, em especial por homens coreanos e japoneses, que são os mais apegados às regras de Confúcio, quando se trata de praticar a sabedoria chinesa.

É preciso lembrar que Confúcio viveu há aproximadamente dois mil anos. Os homens ignorantes a que se referia eram aqueles que, embora tivessem estudado, não assimilaram o saber. A ignorância das mulheres se devia ao fato de serem *proibidas* de estudar. Elas não podiam pensar por si; a sociedade ditava seus pensamentos e atitudes. Elas aceitavam, sem questionar, uma grande quantidade de regras ridículas que lhes eram impostas.

A afirmação de Confúcio não se refere à natureza das mulheres, mas ao estado de ignorância em que elas viviam naquela época. Afinal, Confúcio dedicou a vida a corrigir os muitos erros da sociedade.

Como acontece com todos os grandes ensinamentos, os de Confúcio foram rejeitados em seu tempo tanto por nobres como por plebeus, levando-o a se referir com palavras duras à ignorância de homens e mulheres. No entanto, os estudiosos do sexo masculino, nas várias interpretações que fizeram de suas palavras, convenientemente ignoraram a possibilidade de que os homens fossem ignorantes, enfocando somente a mulher como ser inferior. Isso demonstra como os homens podem ser ignorantes. Se Confúcio pudesse levantar do túmulo, traria com ele raios e trovões para derrubar todos os homens egoístas da Ásia, que usaram seu nome para depreciar a mulher durante os últimos dois mil anos.

Quando o protetor abusa do poder

Em algumas culturas muçulmanas fundamentalistas, as mulheres são consideradas pouco mais que lixo. Não faz muito tempo, aconteceu em Kuala Lumpur, na Malásia, o Congresso Mundial da Religião Muçulmana. Entre os participantes, havia apenas uma mulher, Saleha Mohammed Ali Bin Taib, justamente a representante do governo do país que sediava o congresso. Ela é diretora do Malaysian Religious Board, um conselho religioso, e foi a primeira mulher a deixar o país para estudar na Inglaterra. Em seu pronunciamento, ela disse a uma platéia formada de líderes religiosos, quase todos vindos de países produtores de petróleo do Oriente Médio: "Estou feliz de ter nascido neste país. Se vivesse em qualquer dos países de onde os senhores vêm, não estaria aqui agora fazendo este discurso".

Kakak, que é como Saleha prefere ser chamada, quer dizer "irmã" em malaio. Ela me explicou que, embora a lei muçulmana permita ao homem ter quatro esposas, a intenção original era garantir o sustento das mulheres que perdessem os maridos em uma das muitas guerras acontecidas na época naquela região. No entanto, essa prática acabou se tornando um instrumento de gratificação para os ricos e devassos e transformando a mulher em objeto. A intenção pode ter sido proteger, mas os homens abusaram de seu poder protetor. Os que têm o controle do sustento estão em posição que favorece essa situação.

No Ocidente, temos uma situação equivalente no caso do relacionamento entre o homem que trabalha e a mulher que não trabalha: o provedor e protetor abusa da protegida. Do Oriente ao Ocidente, no passado e no presente, a história se repete.

A essência da guerra tem sua base no engano.
Sun Tzu (1.21)

> A única vez em que progredi na carreira foi quando tive coragem de dizer não às coisas que eram seguras ou já tinham sido feitas, abrindo espaço para o novo.
> ***Helen Hunt (atriz)***

As mulheres têm a obrigação de enxergar através da falsa base de poder do homem. O céu criou o mundo pensando na igualdade. No curso natural da evolução humana, o poder de *yin* (o feminino) vai aumentar e se expandir continuamente como o crescer da lua. O que foi depreciado e humilhado vai ser elevado e glorificado, com certeza.

TÊNIS, SAPATINHOS DE CRISTAL E BOTAS DE COMBATE

Uma guerreira capaz
sempre se assegura do sucesso
antes de aceitar desafios.
A perdedora aceita o desafio
mesmo sem qualquer idéia de como
alcançar a vitória.
Sun Tzu (4.11)

Responsabilizar apenas os homens pela desigualdade entre os sexos é contra o *tao*. Sim, definitivamente, eles tiveram parte da culpa, mas nós, mulheres, também contribuímos, ao mentir para nós mesmas.

Se você mergulhar fundo dentro de si e tiver a coragem de descobrir o que realmente considera certo, agarrando-se a essa descoberta como a uma balsa no mar agitado, sua honestidade acerca do que é e do que quer para a vida vai guiá-la rumo à felicidade pessoal.

Algumas mulheres têm a sorte de *saber* o que querem. Elas querem apenas um certo nível de conforto e um salário decente; querem poder dar aos filhos tênis de marca e nada mais. Mas a mulher sem grandes ambições acaba sentindo uma culpa terrível e a necessidade de se desculpar. E o preconceito contra as minorias costuma ser uma das suas desculpas preferidas.

Existe um outro tipo de mulher que quer ser promovida, mas usa sapatinhos de cristal. Ela tem a ambição, quer ser guerreira, ter um cargo executivo e acesso aos frutos de uma vida melhor, mas falta-lhe o espírito guerreiro. Ela quer o sucesso, mas não consegue abandonar a atitude de Cinderela. Toda mulher guarda no coração um par de sapatinhos de cristal, e não há nada de errado nisso. No entanto, ninguém consegue subir a escada corporativa calçando sapatinhos de cristal; para isso, são necessárias botas de combate. Para chegar ao alto da escada, é preciso ser uma guerreira que supere outras pessoas na subida.

O problema não é com nenhuma dessas opções. A questão é que é preciso escolher: queremos os tênis, os sapatinhos de cristal ou as botas de combate? Não minta. Não se justifique. Orgulhe-se da sua escolha. É muito fácil encontrar os vilões externos – o homem, sem dúvida, contribuiu para sufocar a mulher, mas a força principal, que nos mantém em estado de indecisão, é a falta de clareza quanto ao que nós queremos.

Por que é tão difícil para a mulher usar botas de combate?

Colocamos a fantasia acima da realidade

Certa vez, conversando com um gerente de banco em seu escritório, ouvi dele esta confissão: "Eu gostaria muito de promover funcionárias capazes e dar-lhes apoio, mas olho em volta e não vejo candidatas qualificadas". Observei o pessoal que trabalhava com ele e compreendi por que estava tão frustrado. Imediatamente percebi, pela maneira como aquelas mulheres se apresentavam – o modo de vestir, a linguagem corporal, as atitudes – que não levavam a carreira a sério. Embora trabalhassem em um ambiente formal, a maioria delas se vestia como garotinhas indo para a escola: algumas de vestidos longos e floridos à moda antiga, outras em minissaias com blusas rendadas.

Para aquelas mulheres, era mais importante parecerem "gatinhas" sexy e realizar fantasias juvenis do que virem a se tornar executivas de sucesso. O paradoxo é que, para expressar personalidade, é preciso ter a coragem de ser você mesma e se vestir como lhe agradar, mas também é preciso obedecer às regras básicas da cultura corporativa específica da qual faz parte.

Vista-se adequadamente para o local de trabalho e a posição a que você aspira. Em outras palavras: não se vista para o que você é hoje, mas para o que pretende ser amanhã.

É bom que se diga que as regras que comandam a maneira de vestir não foram criadas para discriminar as mulheres. No mundo dos negócios, os homens também têm de estar de terno e gravata, se quiserem ter direito a usar o banheiro dos executivos, e nunca serão aceitos na conservadora hierarquia corporativa, se insistirem em vestir bermuda e camiseta.

Tudo que se refere a nós, desde roupas a atitudes e habilidades, é uma declaração do que pensamos a nosso respeito e do relacionamento que temos com o trabalho. Como uma mulher pode esperar subir na carreira se não se vê como forte candidata a um cargo mais alto e expressa claramente essa atitude?

Mentimos para nós mesmas a respeito do que queremos

Não há nada de errado em dizer: "Trabalho para me sustentar e ajudar no orçamento doméstico. Gosto da minha vida". Nem está errada a mãe que se sente feliz por trabalhar a fim de levar para casa um dinheiro extra. Se essa é a sua escolha, orgulhe-se por estar trabalhando para melhorar a qualidade de vida da família. É uma motivação nobre, em linha com o *tao.*

Antes de fazer uma viagem, você determina de onde vai sair e para onde quer ir, pois precisa antes reconhecer o lugar onde está e só depois tomar as providências para a realização dos seus objetivos, não é mesmo? Só assim vai conseguir chegar lá.

Usamos sapatinhos de cristal com roupas de combate

Das mulheres que trabalham, a mais infeliz é aquela que entra na vida profissional fingindo ser uma guerreira, mas lá no fundo conserva uma imagem de Cinderela. Enquanto ela trabalha, seu coração espera que o Príncipe Encantado apareça e a carregue, para que possa *realmente* começar a viver.

O que costuma acontecer, porém, é o Príncipe Encantado finalmente chegar, os dois se casarem e aí começar a vida real, quando ela então descobre que se uniu a um sapo disfarçado. Além de continuar a trabalhar, ela não consegue a vida com que sonhou: o castelo dourado e todas as coisas maravilhosas que vêm com ele.

O coração da moça fica dividido entre o sonho de ser Cinderela e a necessidade interna de ser reconhecida e progredir na vida profissional. Ela pode usar roupas de combate, mas em vez das botas, calça sapatinhos de cristal, não conseguindo alcançar a eficiência em nenhum dos dois mundos. É como uma guerreira indecisa, cujo espírito é fraco demais para alcançar a vitória, mas também carece da disposição para se render. A rendição – no caso, demitir-se do emprego – não é uma opção válida para ela. Aquela é sua realidade econômica. Eis aí uma história absolutamente familiar a muitas mulheres que trabalham.

Você precisa decidir se vai livrar-se dos sapatinhos de cristal ou das roupas de combate. Se escolher usar as roupas de combate, calce também as botas. Sapatinhos de cristal combinam muito bem com roupa de gala. Assuma a escolha e vá em frente.

▸ *Acreditamos piamente no mito do preconceito contra as minorias.*

Geralmente, não é o preconceito, mas o mito do preconceito que impede a mulher batalhadora de crescer profissionalmente.

O preconceito corporativo é como a roupa nova do imperador: é preciso crer para ver. Em um setor dominado pelos homens, a falecida Dawn Steel foi a primeira mulher a presidir um grande estúdio cinematográfico – a Columbia Pictures. Tendo começado como secretária, conseguiu, com trabalho, subir a escada corporativa. Quando lhe perguntaram sobre o preconceito, respondeu que não conseguia ver; para ela, o preconceito não existia. Não fazia parte de sua realidade.

Na verdade, a maioria dos homens em posição de promover a ascensão profissional das mulheres não é tola. Eles sabem muito bem que trabalhar com indivíduos capazes, seja qual for o sexo a que pertencem, só pode trazer vantagens.

Recentemente, fui convidada por Hélène Larivée, gerente geral do Cirque du Soleil, para assistir a um espetáculo. O Cirque du Soleil é, de longe, o circo mais artístico e interessante do mundo. Hélène cuida das equipes que viajam pela Ásia e América do Norte. Sabendo que a imagem que o circo representa é a de um ambiente dominado pelo sexo masculino, pedi a ela que me dissesse qual elemento havia contribuído mais efetivamente para seu sucesso.

Hélène, uma delicada senhora de pouco mais de um metro e meio, respondeu: "Sempre trabalhei com homens, e nunca me senti diferente deles".

A maioria das mulheres convive com homens na escola e no trabalho e, no entanto, muitas delas se sentem sufocadas por eles. Os homens passam a ser obstáculos para que avancem na profissão. Por quê? Para determinar como quer que os outros a vejam, você precisa primeiro ver-se desse modo. Se não gosta do tratamento que recebe, mude a maneira de se ver.

Já que Hélène se apresenta como mulher de negócios forte e eficiente, os homens também a vêem assim. Eles passam a enxergá-la com os olhos dela, que são cegos para as diferenças entre os sexos. Como resultado, ela não tem problema algum em expressar força e excelência na execução de tarefas em um ambiente difícil, como é o mundo do circo. Todas as mulheres bem-sucedidas do mundo têm algo em comum: elas não enxergam o preconceito.

Falta-nos fortaleza de espírito

O que anuncia a sua condição interior não são palavras ou ações rudes ou gentis, mas o espírito que está por trás delas. Certa vez, em uma festa a que compareci, a dona da casa me disse estar ansiosa para que eu conhecesse uma moça que cuidava da área de treinamento em uma empresa de telefonia. Segundo ela, era uma mulher poderosa, sempre estudando para se aperfeiçoar. Logo depois da nossa conversa, a moça, que vamos chamar de Susan, chegou. Muito elegante, atraente e bem vestida, confirmou plenamente a descrição.

Assim que começamos a conversar, senti que faltava a ela alguma coisa que eu não conseguia identificar exatamente. Mais tarde, ela se voltou para falar com outra moça com quem tinha bastante intimidade e passou a contar um sonho que tivera recentemente. Ouvi um ou outro trecho do que diziam, e quando ela retomou nossa conversa, pedi que me contasse o tal sonho.

Susan tinha uma professora de artes comerciais de quem gostava muito. No sonho, o marido da professora lhe entregava um pedaço de tijolo e pedia que atirasse contra uma parede de vidro. Susan não gostou da idéia, mas *relutantemente* obedeceu. A parede de vidro se despedaçou. Então, o marido da professora lhe trouxe, em uma bandeja de prata, a cabeça decepada de um cachorro.

Susan já me havia dito que costumava trabalhar mais horas que qualquer outro funcionário da empresa. O chefe sempre a elogiava. No entanto, quando havia uma oportunidade de promoção, ela era preterida. Para melhorar a qualificação, Susan fazia cursos no fim de semana. Chegou até a mudar a maneira de se vestir: passou a usar calças compridas, camisas sociais e gravatas, tentando competir com os homens em condições mais favoráveis. Ninguém poderia dizer que ela não se esforçava. Susan estava absolutamente convencida de ser uma vítima do preconceito.

Depois de ouvir o relato do sonho, olhei bem fundo nos olhos dela e, de repente, tudo se esclareceu. Descobri o elemento que faltava. Susan nasceu na Geórgia e, como moça do sul, é muito correta e foi criada com a idéia de que uma garota deve ser "completamente feminina".

No sonho de Susan, a parede de vidro simbolizava o preconceito. O marido da professora, representando o poder masculino, mandou que ela quebrasse a parede de vidro (o preconceito), o que contrariava sua criação elegante, já que era uma atitude pouco adequada a uma dama.

A cabeça decepada do cachorro simbolizava o macho, o instinto masculino de caçador – inadequado, repulsivo e nada feminino. Claro que a cabeça ensangüentada de um cachorro é uma visão repulsiva para qualquer um, mas para ela era ainda mais. Ser exposta a algo tão cruel ia contra cada porção de sua alma feminina. No sonho, o fato de a cabeça do cachorro ter sido entregue pelo marido da professora simbolizava a necessidade de incorporar mais energia masculina a sua vida.

Só então entendi por que não havia percebido senso de poder vindo dela. O sonho revelou o elo que faltava. Susan tinha tentado até se vestir como homem, mas camisa e gravata, simplesmente, não foram capazes de compensar a falta de poder que trazia na alma.

A sra. Rafidah, Ministra do Comércio Exterior da Malásia, era completamente diferente. Quando a conheci, pensei que o Primeiro Ministro não devia estar em seu juízo perfeito, por indicar aquela mulher para um cargo tão elevado. Com um vestido longo de tecido metalizado estampado com todas as cores do arco-íris, orelhas, pescoço e braços enfeitados com jóias douradas e olhos pintados com sombra azul, ela era uma verdadeira árvore de Natal ambulante.

No entanto, assim que abriu a boca, seu espírito brilhou. Não havia dúvida: ela era poderosa. Quando alguém opera a tal nível de domínio, não importa se calça sapatinhos de cristal ou botas de combate; a autoridade pessoal aparece.

O poder definitivo está no espírito. Não há como falsear ou enfeitar. É possível melhorar o poder com uma roupa adequada, mas nunca simular com uma fantasia.

Nós exacerbamos o problema

Alguns autores vêm reunindo laboriosamente, em páginas e páginas, as evidências de que a mulher é uma vítima em todos os aspectos deste mundo dominado por homens. Esses livros, porém, apesar de convincentes, concentram-se no problema, e não na solução. Apesar de "suspeitar" da existência da discriminação sexual, assim como "fazer idéia" de que, quando dois trens batem de frente, o impacto causa grandes danos, eu não me esforçaria muito em estudar cada detalhe do choque. Preferiria dedicar meu tempo às questões que pudessem trazer resultados positivos.

Em vez de ficarem se lamentando, se dizendo vítimas, é hora de as mulheres se tornarem vencedoras, de reconquistarem sua igualdade inerente e sua superioridade inata, quer tenham como objetivo ocupar um alto cargo executivo ou ser a dona de casa que contribui para a alegria da família e o bem-estar da sociedade.

Se você está convencida de que não progride profissionalmente pelo fato de ser mulher, faça o seguinte:

a. Procure outras pessoas em cujo critério você confia e peça que lhe digam por que você não é promovida. Em um de meus workshops, uma moça reclamou que, sempre que vagava um cargo mais alto que o dela, o chefe, em vez de promovê-la, trazia pessoal de fora. Ela estava convencida de que era uma vítima do preconceito. Pedi que fosse até o palco, para que pudesse interagir com o grupo. Todas pudemos ver claramente que ela precisava trabalhar a confiança, a linguagem corporal e a comunicação. O problema não estava no preconceito, mas nela mesma.

b. Se, depois de analisar cuidadosamente a situação, você concluir que o seu chefe é realmente preconceituoso contra as mulheres, peça demissão e vá buscar o sucesso em outro lugar. Mas garanta um novo emprego antes de deixar o antigo. Na verdade, quem está empregado tem muito mais facilidade de conseguir emprego. Os empregadores gostam de contratar quem já esteja trabalhando.

c. Se gosta do seu trabalho e não quer deixá-lo, aumente a produção em 150%. Com isso duas coisas podem acontecer: se você for mesmo a melhor, vai ter mais probabilidade de ser promovida, já que é do interesse do chefe utilizá-la de modo mais efetivo; ou o seu chefe pode ser tremendamente inseguro, ficar com medo de que você lhe tome o lugar e resolver despedi-la. Nesse caso, o universo tomou a decisão; vá em frente, em busca de uma vida melhor. Não tenha medo. Sempre que as suas ações estiverem alinhadas com o tao, haverá um destino glorioso à espera.

Assegurar-se contra a derrota
depende do seu próprio esforço.
Sun Tzu (4.2)

A partir deste momento, vamos abandonar para sempre a desculpa do preconceito. Somos vencedoras quando estamos contentes com o trabalho que temos e a posição que ocupamos, sejam eles prestigiosos ou humildes aos olhos dos outros. Se você está feliz com o que é, então é uma vencedora. E isso deve ser o suficiente para todos.

Sempre que participo de conferências de mulheres, algumas me dizem como ficam felizes de que eu lhes "dê permissão" para serem donas de casa que também trabalham fora.

O mundo é suficientemente grande para conter sonhos de diferentes cores e tamanhos. Nenhum sonho é inerentemente melhor que outro; o que conta é viver com entusiasmo e prazer. Não importa se você prefere usar sapatinhos de cristal ou botas de combate, desde que o calçado seja adequado ao seu objetivo.

> Posso dizer honestamente que nunca fui afetada pela questão do sucesso de um empreendimento. Quando sentia que era a coisa certa a fazer, punha mãos à obra, sem pensar no possível resultado.
> ***Golda Meir (ex-Primeira Ministra de Israel)***

É claro que, quando se é uma atiradora exímia, como a sra. Rafidah, até sapatinhos de cristal vão bem no campo de batalha. Isso é *tao*; é o alinhamento com a vontade do céu e a bondade da raça humana.

Mais tao, mais sucesso

> *Tao se aplica à moralidade*
> *e à justiça da batalha.*
> *Isso precisa ser bem compreendido*
> *por aqueles que vão ser responsáveis*
> *pelo resultado.*
> ***Sun Tzu (1.3)***

Como fazer do *tao* uma ajuda para conseguir alcançar os seus objetivos profissionais? Desde tempos antigos até os dias de hoje, todas as pessoas sensatas fazem questão de incluir a bondade na vida pessoal e profissional. Ganhos imediatos, em curto prazo, geralmente não se transformam em vantagens em longo prazo.

Quando se trabalha contra esse princípio simples, pode-se contar com um mau destino, porque o mundo não é puramente físico, embora os cientistas e homens de negócios gostem de simplificar o assunto. A realidade da vida é que o mundo é tão físico quanto mágico. Quanto mais *tao* possuímos, mais felizes somos, e mais sucesso obtemos. Conforme já dissemos, quem faz a coisa certa sempre acaba chegando aos melhores resultados.

Para descobrir o quanto você está alinhada com o tao, pergunte-se:

- *Quanto de retidão há no meu objetivo?*

Toda situação tem um fator "retidão". Tudo que você faz carrega um fator integridade. Se a sua causa for injusta e insustentável, a derrota vai chegar, mais cedo ou mais tarde. Por essa razão, Napoleão, Hitler e todos os tiranos do mundo, por mais brilhantes que tenham sido, não ficaram muito tempo no poder.

Se o seu objetivo é progredir, primeiro descubra por quê. É pelo salário, por mais lucro, pelo reconhecimento, pela responsabilidade, por mais espaço para se expressar? Salário melhor e lucros mais altos são motivações nobres, capazes de despertar o desejo de lutar para obter o seu quinhão. No entanto, se não fizer do trabalho em si a base do desejo por sucesso, a sua motivação não se sustentará, e você poderá descobrir, ao chegar ao topo – com poder e dinheiro – que não gosta de si mesma e detesta o que faz. Em resumo: quando não se tem um objetivo justo, o resultado é o fracasso ou um terrível enfado.

Por outro lado, quando se faz a coisa certa pela razão certa, os resultados certos aparecem. Quando Joan deixou uma grande empresa por uma companhia formada recentemente, também deixou para trás um pacote de aposentadoria de um milhão de dólares. Não lhe ofereceram participação alguma na sociedade; ela era apenas uma funcionária contratada. O que ouvi dela foi: "Era a coisa certa a fazer. Troquei um milhão de dólares por um sonho". Hoje, a companhia escolhida por ela é considerada a mais bem administrada e de maior crescimento em todo o mundo. E Joan foi recompensada financeiramente em mais de dez vezes pelo milhão de dólares que deixou para trás.

Com a inconstância do mundo dos negócios hoje em dia, tudo se modifica rapidamente; você nunca vai conseguir dados suficientes para tomar uma decisão "sólida". Na dúvida, faça uma pergunta simples: "É a coisa certa a fazer?" Minha regra de ouro é a seguinte: "Faça a coisa certa, e os resultados certos vão aparecer". Às vezes, o resultado certo pode demorar ou parecer o oposto do que se desejava, mas em algum momento vai ficar provado que o *tao* sempre salva e leva à vitória.

Até Joan, nos primeiros anos na nova empresa, enfrentou tempos difíceis e chegou a pensar que tivesse cometido um engano. Mas, conforme ela mesma disse, "se a decisão é o resultado de uma orientação interna inegável, como pode estar errada?"

Estou sendo guiada por meu ego gigante?

Um ego gigante carrega as sementes da autodestruição. Hitler só travou uma guerra contra o que havia de bom na humanidade porque o ego não o deixava enxergar, fazendo com que se considerasse invencível e indestrutível. Superegos como o dele contêm buracos negros. Esses buracos negros existem no nível da alma ou do espírito, e levam à tomada de decisões estúpidas.

Alice, depois de fracassar no comando dos negócios da família, recebeu uma oferta para assumir a diretoria de uma fábrica de papel. Sua resposta ao presidente da empresa foi que só aceitaria se tivesse direito a carro com motorista. Mesmo depois de arruinar os negócios da família, ela não conseguia perceber que a arrogância era seu maior inimigo. A preocupação de Alice deveria ser atender aos acionistas e a seu superior, fazendo um trabalho excelente. O foco do cargo não poderia ser o carro com motorista. Resultado: ela não conseguiu a colocação e vive até hoje do patrimônio da família, consumindo rapidamente a riqueza que lhe restou.

Sou movida por pura ambição?

Se o dinheiro é a sua única motivação, não vai dar certo. Segundo Confúcio, "O indivíduo superior compreende a retidão, mas o indivíduo sem qualidades só compreende o lucro". Sempre que o seu motivo passar do serviço à ambição, do saber à ignorância, mais ficará provado que ele é insustentável.

Existe na Ásia um hotel cinco estrelas cujo saguão, com piso de mármore, é tão amplo que poderia conter um rinque de patinação no gelo. Nesse saguão, como em outros hotéis, havia um sofá, uma mesa e várias poltronas, onde os hóspedes podiam ficar e receber convidados.O espaço estava sempre cheio de gente, e muitos negócios aconteciam ali.

Um dia, a gerência do hotel resolveu fazer uma reforma, levantando paredes e transformando aquele espaço em duas cafeterias. A partir de então, quem quisesse sentar-se ali, tinha de tomar café.

Serviam café e chá ao preço de nove dólares a xícara, sem falar nos docinhos que os garçons não paravam de oferecer. Um encontro informal de quatro pessoas, com o imposto e a taxa de serviço, não saía por menos de cem dólares. O que se deduz daí é que ninguém podia mais se sentar naquele hotel sem pagar. O motivo óbvio da administração foi maximizar a receita. Em momento algum o bem-estar dos hóspedes foi levado em consideração.

Lucratividade como resultado final é a meta de toda empresa, mas o lucro em curto prazo nem sempre é uma estratégia vitoriosa. Eu me hospedava freqüentemente naquele hotel e achei a nova prática bastante incômoda. Assim, procurei outro que tivesse uma relação mais amigável com os hóspedes. Não vou usar os serviços de um hotel se não posso ficar no saguão com meus convidados, sem pagar por isso.

Por incrível que pareça, três anos depois, a política do "sentou-pagou" foi revogada, e novamente colocaram um pequeno sofá e uma mesa de café para uso dos hóspedes. Com certeza, eu não fui a única a detestar a idéia de ficar sujeita à ganância da administração do hotel!

Sou movida pelo desespero?

Você pode classificar a palavra "desespero" junto com melancolia, desestímulo, depressão, medo, privação e desesperança. O próprio sentimento de desespero contém elementos como preocupação, ansiedade, desejo ardente, sensações de que não tem saída, não tem solução, não vou conseguir. Todos esses sentimentos afugentam o *tao*, levando à perda da força. A mente fica paralisada, incapaz de criar estratégias ousadas e brilhantes. Quando estiver em estado de desespero, é melhor não fazer nada e esperar que as emoções negativas se afastem, de modo que a harmonia, a esperança e o otimismo – características do *tao* – sejam restabelecidos. Quanto mais você agir sob a pressão do desespero, mais terá de desmanchar o que fez.

Quem será servido e quem será prejudicado?

Quanto mais pessoas você servir neste planeta e quanto menos pessoas você prejudicar, maior será o seu verdadeiro sucesso. Muitas grandes empresas investem os recursos de que dispõem, tentando fisgar o cliente com todo tipo de chamariz, mas impondo condições impressas em letras tão pequenas, que fica impossível ler sem um microscópio.

Com o passar do tempo, porém, o cliente vai ficando esperto e percebe qual a empresa que usa os 20.000 empregados de que dispõe para pressioná-lo e qual a que trabalha para servi-lo. Tentar "fisgar" as pessoas pelo lucro acaba fazendo com que se afastem. Um serviço proveitoso e verdadeiro é o único caminho legítimo para o sucesso no longo prazo.

Fazendo as perguntas seguintes
você vai saber de que lado está o vencedor.
Compare os dois comandantes.
Quem possui o tao?
Compare os dois comandantes.
Quem é superior como indivíduo?
Qual lado possui a vantagem
de sincronização e recursos?
Que lado conta com mais disciplina
e procedimentos organizados de execução?
Qual dos lados tem a equipe mais motivada
e possui equipamento excelente?
Em qual dos lados estão os trabalhadores mais bem treinados?
Qual lado tem padrões mais claros
de repreensões e promoções?
Sun Tzu (1.9)

Se tiver a coragem de alinhar os seus objetivos com o *tao* e de fazer a coisa certa, pode ter certeza de que bons resultados virão. Se você e os seus objetivos estiverem em linha com o *tao*, o sucesso vai aumentar naturalmente. Mais *tao*, mais sucesso. Com certeza.

2 Tien
Sincronização

Pois o que uma classe de mulheres faz ou aprende torna-se, em virtude da condição feminina comum, propriedade de todas.
Elizabeth Blackwell (primeira médica dos Estados Unidos)

O céu se expressa por meio de Yin e Yang, se manifesta no verão, no inverno e na sucessão das quatro estações.
Sun Tzu (1.4)

Século XXI, o século da mulher

A água que jorra gera uma tal força, que é capaz de arrastar pedras gigantescas.
A águia consegue alcançar a presa com precisa coordenação de distância e tempo.
O guerreiro hábil conduz as tropas à batalha
aproveitando a força irresistível do impulso.
Sun Tzu (5.9)

O que é sincronização? Em todo ambiente há um inconsciente coletivo. Sincronização (*tien*) é o ponto em que o conhecimento inconsciente passa para o nível da consciência.

Depois de 31 de dezembro de 1999, nós, mulheres, milagrosamente tomamos consciência de que estávamos cansadas de fingir que éramos homens e queríamos integrar nossas fantasias femininas à realidade.

Queremos nos expressar como mulheres e não apenas como mulheres que trabalham.

Essa percepção só começou a ficar clara na consciência coletiva das mulheres em meados de 2000. Foi quando em toda parte apareceram evidências, refletindo o profundo anseio por uma abordagem mais feminina.

Um sinal de mudança foi este anúncio de roupas da Saks Fifth Avenue, voltado para a mulher que trabalha: "É preciso um senso individual de estilo, com um toque de aventura; é para aquelas que apreciam o novo, o diferente, o inesperado. Veja o mundo com novos olhos. Faça uma surpresa". As fotos mostravam mulheres jovens, vestindo roupas floridas ou de cores vivas, bem diferentes do tradicional "uniforme" inspirado nos trajes dos banqueiros. Isso foi resultado da mudança no inconsciente coletivo não expresso.

Estar em linha com a sincronização (*tien*) é uma forma de aproveitar a força do impulso. E impulso gera poder. Quem está em sincronismo consigo mesma torna-se alguém que não se deixa reprimir. É o que está acontecendo com as mulheres, ao entrarem no novo milênio. Estamos passando da Revolução Industrial à Revolução da Informação, da história deles para a história delas, do Século do Homem ao Século da Mulher. Finalmente, a sincronização universal está conosco. Neste novo século, neste novo milênio, a mulher será uma força incontrolável. "O século XXI é o século da mulher" não é somente um *slogan*; exprime uma idéia que podemos facilmente tornar realidade.

Por que o século XXI é o século da mulher:

Qualidades pacíficas são nitidamente femininas

O século XXI é comumente chamado de "Século do Pacífico", porque o Pacífico é e continuará sendo a principal área de crescimento, nos próximos cem anos. Junto com a ascensão do poder econômico do Pacífico, virão os valores culturais do Pacífico, com uma tendência muito mais intangível e intuitiva.

É fácil identificar os temas dominantes da cultura ocidental – direta, racional, lógica, dizendo o que vem à cabeça – como qualidades masculinas. Ao mesmo tempo, as qualidades asiáticas, ou do Pacífico, são nitidamente femininas – intuição, sutileza, não-dualismo. A cultura do Pacífico reconhece toda uma gama de matizes e admite que a vida seja feita de ambigüidades e paradoxos. Sabe que o ausente é mais real que o presente, ou seja, que o mais importante é o que não pode ser visto, ouvido nem tocado.

Desde o século XX, as qualidades asiáticas vêm se destacando no Ocidente, de *Pokemon* ao trabalho da *designer* Vera Wang e ao *Mulan*, desenho animado da Disney.

O mundo corporativo atualmente deixa o terreno do materialismo puro e entra no terreno mental, aproximando-se do pensamento oriental – o aspecto feminino da força competitiva. Mas isso é apenas a ponta do *iceberg*. Vamos precisar de mais tempo para aperfeiçoar e completar o processo.

A Revolução da Informação valoriza o que não é visto

Qualidades femininas como empatia, intuição, carinho e capacidade de adaptação foram consideradas qualidades inferiores durante a era industrial, dominada pelos homens. Atualmente, à medida que vamos entrando na era da informação, o poder dos músculos deixou de ser a força que move a sociedade; agora, é o poder da mente que comanda. A capacidade inata que a mulher tem de perceber nuanças de significado e ir além do visível será uma ferramenta competitiva essencial neste século.

Conforme já dissemos, a abordagem que se fazia da realidade no século XIX e no início do século XX, criada pelo modelo industrial, era muito voltada para os músculos, o masculino, a matéria. Com o avanço da revolução da informação no século XXI, nossa abordagem da realidade vai ficando mais feminina, mais asiática, mais baseada na capacidade feminina inata de compreender questões sutis.

Uma idéia que amadureceu

Depois de muito pensar, a melhor explicação para o fato de podermos dizer que estamos vivendo o século da mulher é que essa é uma idéia que simplesmente amadureceu.

No deserto do sul da Califórnia, encontra-se uma das maiores pedras do mundo; ela já estava lá há milênios, com seus doze metros de altura. Desde tempos remotos, os índios norte-americanos consideravam-na sagrada, e somente o chefe podia se aproximar dela e se comunicar com o poderoso espírito dessa pedra extraordinária.

Segundo uma profecia passada de geração a geração, em um dia distante no futuro, a pedra se dividiria em duas, como sinal do começo de uma nova era: a do Feminino Divino. Como noticiou o jornal *High Desert Star,* de quarta-feira, 23 de fevereiro de 2000, na segunda-feira anterior – dois dias antes, portanto – às oito e vinte da manhã, a pedra gigante se partiu ao meio, deixando à mostra o granito branco em seu interior.

Entre os cinco elementos (ouro, madeira, água, fogo, terra),
não existe conquistador permanente.
As quatro estações se alternam,
cada uma abrindo caminho para a seguinte.
Assim como há dias longos e curtos
e a lua tem crescente e minguante.
Sun Tzu (6.26)

O poder político-econômico mantido pelo homem durante os últimos milênios é uma função de *tien*, a sincronização universal. No século XXI, porém, as mesmas forças que deram ascendência ao homem também elevam a mulher.

Escolhemos o caminho da igualdade; não vamos deixar que nos façam mudar o rumo.
Geraldine Ferraro (primeira mulher candidata à vice-presidência dos Estados Unidos)

Sem dúvida alguma, podemos chamar este século por seu nome próprio: Século da Mulher. Isso se deve claramente à manifestação do poder inerente à sincronização universal.

REAPRESENTANDO A MAGNIFICÊNCIA DA FEMINILIDADE

A guerreira capaz
impõe sua vontade ao oponente,
mas não permite
que lhe imponham a vontade do oponente.
Sun Tzu (6.2)

Qualquer um que trabalhe no comércio sabe que o produto precisa ser embalado e, conseqüentemente, apresentado de acordo com a imagem que se quer mostrar ao mundo em geral. Esse processo não se limita mais a artigos comercializados; já se expandiu para incluir a imagem de empresas, de astros do cinema e até do presidente dos Estados Unidos.

Segundo essa lógica, *Feminilidade* também é um produto – certamente o mais deturpado e mal apresentado do século XX, se não desde o início da história da humanidade. A feminilidade foi mostrada como algo inferior e pecaminoso e criticada como o símbolo mais miserável e aviltante que a humanidade poderia conceber.

Um exemplo dessa má apresentação é o mito de que as mulheres não estão aptas a pertencer ao Corpo de Bombeiros. Mesmo eu acreditava nisso até recentemente, quando recebi um telefonema de um leitor que se aposentara depois de servir durante quarenta anos ao Corpo de Bombeiros da cidade de Nova York. Depois de ouvi-lo dizer o quanto apreciava os meus livros e como apoiava a causa feminina, contei a ele que acreditava na capacidade da mulher de fazer quase tudo tão bem quanto o homem, exceto apagar um incêndio. E acrescentei: "Se estivesse presa em um prédio em chamas, ficaria muito desapontada ao ver chegar uma mulher para me salvar. Preferiria mil vezes um bombeiro alto e forte que me carregasse de lá".

Meu amigo respondeu que tal atitude é resultado da ficção descrita em filmes de Hollywood, na qual um homem musculoso corre para o incêndio e volta trazendo a vítima nos ombros. Segundo ele, "praticamente, uma pessoa sozinha não tem como salvar outra de um prédio em chamas. Como todos carregamos equipamento pesado, sempre trabalhamos em equipe. Se alguém precisa ser salvo, isso é feito com o esforço do grupo. Além disso, coragem independe de sexo. A mulher pode ser tão eficiente e corajosa quanto o homem na hora de combater um incêndio. Por outro lado, conheci alguns bombeiros homens que ficavam muito assustados diante de um prédio em chamas. Seguiram a profissão porque têm de sustentar a família, mas em situação de crise precisam do apoio dos colegas".

Depois de ouvir um depoimento desses, tenho certeza de que todos nós temos vontade de pedir desculpas às mulheres que dedicaram a vida a apagar incêndios. Elas certamente tiveram de conviver com o preconceito perverso da sociedade e de alguns dos próprios colegas. A falta de informação sobre as mulheres que pertencem ao Corpo de Bombeiros é alimentada pelas imagens que vemos em filmes, pois a indústria cinematográfica, como a maioria dos setores, é dominada pelo sexo masculino. Os obstáculos enfrentados pelas mulheres em todos os campos de trabalho fazem parte de uma questão maior, que é a má apresentação da feminilidade.

Como a mulher pode tirar vantagem das oportunidades e pegar a onda de *tien*, a sincronização? No século XXI, o poder da sincronização vai beneficiar a mulher, assim como a lua cheia provoca a maré alta que desencalha o navio preso no banco de areia. Do mesmo modo como o capitão precisa se dedicar a manter o navio no curso, nós, mulheres, precisamos captar a sincronização universal, dedicando-nos a criar uma nova embalagem e uma nova apresentação, que corrija os erros do passado e revele ao mundo uma nova imagem da feminilidade.

E como dar à feminilidade uma nova embalagem? Fácil. Basta imaginar algo atraente. Toda a deturpação da feminilidade aconteceu sem a menor base científica. Agora, podemos nos divertir criando alguma coisa que nos glorifique. Estou certa de que, qualquer que seja essa imagem, vai carregar muito mais verdade do que a anterior.

Aqui estão as minhas idéias de como a feminilidade deve ser apresentada. Não acho que sejam particularmente brilhantes, mas você pode acrescentar as suas próprias.

A feminilidade deve ser reapresentada como a qualidade de:

Novas vencedoras

Em 1995, o sr. Koch, industrial milionário, vencedor da America's Cup de iatismo de 1992, reuniu pela primeira vez um grupo só de mulheres para competir. Foi tachado de louco! Dizia-se que as mulheres não eram suficientemente fortes e habilidosas para velejar, nem espertas o bastante para competir. A velha guarda dos clubes náuticos só fez rir e ironizar. Pois a equipe feminina competiu com as melhores do mundo, formadas só de homens, e chegou em terceiro lugar.

Segundo o sr. Koch, "se não tivéssemos cometido alguns erros básicos, talvez elas vencessem a America's Cup. O erro foi não termos uma mulher na liderança. Nós as comandamos como se fossem um bando de homens. Não percebemos que a mulher precisa de um método de comunicação diferente para ser competitiva.

Aquelas mulheres eram incrivelmente fortes. Depois de treinar por cerca de um ano, tornaram-se tão vigorosas fisicamente que nenhum dos homens das outras equipes ousaria se meter com elas. Ao fim da temporada, todas eram capazes de levantar o correspondente ao peso do marido ou namorado. Chegamos a apelidar uma delas de 'tijolo'. Tinha pouco mais de um metro e sessenta, pesava 105 quilos, tinha menos de cinco por cento de gordura corporal e conseguia 'fazer levantamento de peso' com o marido, que pesava 135 quilos.

Na verdade, já na primeira competição de que participaram, elas afastaram qualquer conotação de sexo fraco, ao vencerem o desafio lançado por Dennis Conners, a celebridade do iatismo. Mais tarde, em uma entrevista coletiva, Dennis disse que tinha incluído em sua história duas grandes derrotas: uma, ao perder para os australianos em

84, e outra por ter sido o primeiro homem a deixar escapar a America's Cup para uma equipe de mulheres. Elas eram muito mais resistentes física e mentalmente do que os homens da equipe de 92".

A mulher pode vencer o homem em qualquer terreno. A cada vitória, precisamos fazer soar as buzinas e dizer ao mundo que somos vencedoras. Temos de reformular e apresentar a nova imagem vitoriosa da feminilidade.

Quem sabe jogar em equipe

É crença comum que o homem produz melhor em equipe do que a mulher. O sr. Koch conta uma história muito esclarecedora sobre como a mulher pode trabalhar melhor em equipe do que o homem:

"Outra coisa que descobrimos durante a preparação para a America's Cup foi que, com duas semanas de treinamento, as mulheres tinham desenvolvido o espírito de equipe, enquanto os homens levavam dezoito meses para se organizar e alcançar a eficiência.

As mulheres também cumpriam as tarefas necessárias diariamente. Quando chegávamos, tínhamos de retirar as velas, secar, limpar o barco, esfregar o fundo, ajeitar o mastro, enfim, cuidar para que tudo ficasse em ordem. Elas se organizavam em grupos eficientes e faziam o que era preciso em menos da metade do tempo gasto pelos homens. Não perdiam tempo com conversa; agiam, ao passo que os homens discutiam como e quem iam fazer o quê.

As mulheres não queriam ser comandadas pelo que consideravam uma ditadura. Preferiam o consenso, o que achávamos absolutamente fascinante".

Efetivas competidoras

Acredita-se que, pelo fato de sermos naturalmente mais compassivas e sensíveis em relação àqueles com quem convivemos, não tenhamos interesse em competir nem sejamos boas em competições. O sr. Kock lembra: "Nosso maior erro foi não ter incentivado as mulheres a competir diretamente umas com as outras, assim como a aceitar e exercer a liderança mútua. E acredito que este seja um dos maiores enganos da nossa sociedade. Os treinadores ensinam os garotos a fazer isso o tempo todo no esporte, mas dizem que as garotas são frágeis.

Tal como a cultura em geral, os treinadores e administradores do sexo masculino acreditavam que as mulheres não queriam competir entre si por uma posição na equipe para não magoar as outras, mas percebi que eram tão competitivas e dispostas quanto qualquer homem".

Só porque as mulheres são sensíveis e empáticas, não quer dizer que não apreciem a emoção de competir. É um engano acreditar que uma situação exclui a outra.

▸ *Criadoras e disseminadoras de beleza*

Sem as mulheres sobre a face da Terra, nossa civilização pareceria mais um apartamento de solteiro: mal cheiroso, sujo e desarrumado. Conta-se que quando John Kennedy era senador, antes de casar-se com Jackie, alugou um apartamento para morar sozinho em Washington. Depois de sua morte, o dono revelou que o lixo deixado no apartamento era tanto que chegava à altura dos joelhos. Aí está um exemplo de homem de aparência muito elegante que, no entanto, mantinha um apartamento absolutamente imundo.

Quando digo que as mulheres representam a beleza celestial na Terra, estou me referindo a uma qualidade transcendente, e não à beleza das supermodelos, que segue modas e tendências. O mundo precisa de um toque feminino. É claro que o homem pode ter essa qualidade feminina, mas a beleza é domínio da mulher.

▸ *Mantenedoras da luz da humanidade*

Desde tempos antigos, os homens vêm se ocupando com guerras e batalhas, enquanto as mulheres cuidam da casa e da família, criando assim a harmonia necessária à existência da humanidade. A luz da humanidade se expressa através do amor, do cuidado e da constância da mulher. **Sem essas qualidades, não há iluminação. Sem a luz**

da humanidade, não há beleza para se comentar. Ao assegurar harmonia, amor, beleza e felicidade, as mulheres mantêm a luz acesa e brilhante.

Polícia de Deus

Na Austrália, existe um ditado muito conhecido que diz: "As mulheres são a polícia de Deus". Os homens australianos são conhecidos pela facilidade com que arrumam brigas nos bares e provocam desordens, por puro prazer. Esses homens adoráveis transferem para as mulheres a obrigação de mantê-los na linha. Eles estão sempre experimentando os limites do bem e do mal. **É fácil ver que Deus criou a mulher para impedir que o homem vá longe demais. Imagine o que eles fariam aos outros e a si mesmos se não fosse por elas!**

Mais durável e resistente

Não foi por acidente, mas de propósito, que o Criador entregou à mulher a tarefa de perpetuar a raça humana; dos dois sexos, ela é o mais resistente. Por suportar muito melhor o sofrimento, a mulher recebeu a incumbência de sofrer a dor do parto. Um homem provavelmente não conseguiria chegar ao fim. **Durante milhares de anos, antes de contarmos com o procedimento cirúrgico da cesariana, os bebês nasciam pelo esforço da mãe, e muitas perderam a vida no parto. A tenacidade e a resistência mental da mulher em tudo que faz compensam sua força física freqüentemente menor.**

Mais sensata

A mulher carrega o bebê na barriga durante nove meses com todo o carinho, cuidando dela e do filho. Durante a gravidez, ela muda o estilo de vida e se priva de numerosas atividades. Se o homem tivesse de carregar o bebê na barriga, provavelmente o perderia durante uma partida de futebol "inadiável". Essa sensatez resulta no modo como as mulheres cuidam da sobrevivência financeira, física e emocional da família. **A preservação e a renovação da humanidade dependem da mulher.**

Mais intuitiva

Também não é por acaso que a mulher é capaz de atender e proteger crianças indefesas e de se comunicar com elas. Certas capacidades intuitivas são estimuladas nas mulheres, garantindo a sobrevivência da cria e, por extensão, da espécie. **Sempre digo aos meus clientes executivos que, quando estiverem em dúvida sobre uma intuição que tiveram, peçam o conselho das esposas.**

Protetoras do vazio e guardiãs da criação

Segundo a filosofia asiática, o Vazio é um espaço no início da criação. O Criador deixou esse espaço vazio dentro de cada mulher, onde começa a vida. É aí a incubadora da existência humana. **A mulher, portanto, é um microcosmo – a guardiã natural da criação neste planeta.**

Guardiãs da Mãe Terra

No universo, existem três forças essenciais em ação: destruição, criação e força de sustentação. O homem já demonstrou de sobra seu talento para a destruição e, em parceria com a mulher, cria nova vida. Mas cabe e sempre coube à mulher sustentar e alimentar a vida. **As mulheres põem em ação a energia física e mental necessária à sustentação da atividade de seu ambiente.**

Aquela que entende completamente
a vantagem de adotar a mudança e a variação:
eis a melhor comandante.
Sun Tzu (8.4)

Não faz muito tempo, estive na Malásia, e a sra. Rafidah, Ministra do Comércio Exterior, me contou uma história. Uma das perguntas mais freqüentes feitas por profissionais da imprensa a mulheres que ocupam posições de destaque é: "Como consegue conciliar as atividades de um trabalho que exige tanto com as responsabilidades da família?" E durante uma entrevista coletiva no aeroporto de Singapura, a pergunta foi feita mais uma vez.

A sra. Rafidah respondeu com firmeza: "Por que não pergunta a Lee Kuan Yew (ex-Primeiro Ministro e um dos homens mais poderosos de Singapura) como ele concilia as obrigações profissionais com os deveres de pai e marido?" E continuou: "Essa pergunta nem merece resposta." Ela, então, saiu, dando por encerrada a entrevista.

A reformulação e reapresentação da feminilidade é responsabilidade pessoal de cada mulher – em especial neste novo século, tão dinâmico. A sincronização universal está do nosso lado, com certeza, e devemos tirar vantagem dela. A maré alta é capaz de desencalhar um navio, mas sem a habilidade do comandante, vamos ver apenas uma embarcação desgovernada, espatifando-se contra as encostas rochosas do litoral. Assim como o navio, cada mulher deve fazer sua parte para adotar ativamente nossa nova imagem, apresentando-a ostensivamente ao mundo; se não por nós mesmas, então pelas gerações que ainda virão.

O que nos parece impossível agora não o será na próxima década.
Constance Baker Motley
(primeira negra a se tornar juíza federal nos Estados Unidos)

Como melhorar a sincronização

O guerreiro capaz busca a vitória usando a oportunidade da sincronização.
Sun Tzu (5.18)

Todos sabemos que sincronização é tudo; e, no entanto, é incontrolável. Como melhorar a sincronização, se não é possível prevê-la? Se, por exemplo, o seu produto ou serviço não caírem no gosto do público em geral, vai ser difícil vendê-los. Se chegarem ao mercado tarde demais, vão deixar de aproveitar a tendência, e de ser novidade. Da fase de planejamento até o lançamento do produto no mercado, é preciso avaliar se ainda haverá espaço.

Não se vende o que ninguém quer comprar. O produto precisa ser a resposta a um desejo inconsciente do comprador que, ao vê-lo, logo vai perceber: era o que ele estava esperando. É isso que Sun Tzu queria dizer com "oportunidade da sincronização" do "guerreiro capaz".

Como melhorar a sincronização?

1. Repare nos sinais que estão em toda parte

> *A sincronização está representada pela alternância de*
> *Yin e Yang,*
> *inverno e verão,*
> *tempos favoráveis e desfavoráveis.*
> ***Sun Tzu (1.6)***

Durante uma entrevista, um repórter fez a seguinte pergunta à estilista Donna Karan: "Como você determina o que criar para a estação seguinte?" A resposta foi surpreendentemente simples. Ela explicou que prestava atenção aos sinais, grandes e pequenos, que a rodeavam. Certas cores e modelos se repetiam – na rua, no metrô, na televisão. Esses sinais eram a garantia de que ela estava no caminho certo.

Toda mulher sabe o que é isso. Todas nós, em algum momento da vida, utilizamos esse processo "não científico" de senso comum para tomar uma decisão a respeito de determinado projeto.

2. Entre em sintonia com a pessoa com quem quer fazer negócio

> *Pela manhã, o espírito das tropas é mais inflamado,*
> *Mas, ao aproximar-se o fim do dia, tende a esmorecer.*
> *Quando escurece,*

os homens só pensam em retornar ao acampamento.
Durante a batalha, então, o guerreiro hábil
evita os momentos em que o inimigo é mais vigoroso,
e ataca quando sabe que ele está ansioso
para voltar.
Sun Tzu (7.26)

O pessoal que promove seminários sabe que a sincronização é vital para o sucesso dos eventos. Se o seminário é pago pela empresa, os participantes preferem que seja feito durante a semana. Quando cada um paga o seu, eles preferem os fins de semana. E, é claro, deve-se evitar marcar seminários nas férias de verão ou em feriados importantes durante o ano.

Se você pretende fazer uma campanha de vendas ou apresentar uma proposta de negócio, é melhor evitar o período em que o cliente esteja mais refratário. Esse período refratário, ou de maior resistência, varia conforme a situação e a pessoa. Pode ser segunda-feira de manhã, sexta-feira à tarde ou qualquer outro momento da semana específico do indivíduo ou da empresa.

Conheço um editor de revistas cujo período mais tranqüilo é depois das cinco e meia da tarde, quando todos os empregados já se foram e o caos do escritório se acalmou. Essa é a melhor hora para entrar em contato com ele. É claro que, depois das cinco e meia, a guardiã da porta – sua assistente – foi para casa, e ele mesmo atende ao telefone. Esse princípio se aplica até mesmo para a marcação de uma sessão de massagem. Descubra a que horas o(a) massagista começa o período de trabalho e procure ser atendida nesse horário, para tirar vantagem de seu melhor nível de atenção e energia física.

3. Tome consciência da relação entre o seu objetivo e a sincronização

O bom guerreiro que vai atacar
é como a besta que se retesa,
toda impulso e potencial.

Ao disparar do gatilho,
a flecha voa com um cálculo preciso
de distância, tempo e alvo.
Nem cedo demais,
nem tarde demais.
Sun Tzu (5.12)

Se você deseja prontidão *e* relevância, necessita de boa sincronização. Ao dar início a um projeto ou lançar um novo produto, é indispensável que você responda às perguntas: "Quanto tempo vai ser preciso para completar o projeto?", "Quando ficar pronto, o projeto ainda vai ser relevante?"

Não existem regras fixas. Sincronização nem sempre significa chegar ao mercado na frente dos outros. Às vezes, é melhor deixar que o concorrente lance o produto dele primeiro, pagando o alto custo de educar o cliente, o distribuidor e o varejista, para só então pegar a crista da onda. É preciso determinar quais são os seus pontos fortes.

Se o setor de pesquisa e desenvolvimento é um desses pontos fortes, chegue ao mercado em primeiro lugar. Se você é melhor em controle de custos e redução de preços, vá atrás dos líderes e venda mais barato. O importante é alinhar objetivo e sincronização.

4. *Use a intuição para sentir quando é a hora*

Embora todos possam ver a execução
da minha tática,
ninguém consegue penetrar nos motivos
que estão por trás da criação de estratégias tão especiais.
Sun Tzu (6.27)

Judith Regan, a editora de Regan Books, na HarperCollins Publishers, me disse certa vez: "Levanto o dedo e sinto no ar se devo ou não comprar o livro".

A sincronização está intimamente associada à intuição, muito embora esta última aconteça espontaneamente; por sua própria natureza, não pode ser planejada. É uma sensação que muitas vezes não há como explicar. Já lhe aconteceu de estar em um grupo discutindo determinado assunto e se surpreender com as "pérolas de sabedoria" que lhe saem da boca? E mais, ao chegar em casa, não conseguir de modo algum recriar a situação? Às vezes, a intuição é estimulada por uma profusão de idéias, fazendo com que a visão da sincronização perfeita se revele de repente.

Se pudermos lançar mão da intuição, isso certamente vai nos ajudar a detectar a propriedade da sincronização. Existem muitos livros bons que ensinam a melhorar a intuição, mas aperfeiçoar essa habilidade ainda é um desafio constante. Enquanto isso, temos de conviver com a inconsistência e a falibilidade da intuição. Precisamos de uma rede de segurança adicional que nos ajude a verificar a validade da nossa sincronização.

5. *Dê sustentação à intuição com dados e planejamento*

> *A extensão do sucesso depende do tipo de planejamento,*
> *para garantir a vitória com antecedência.*
> *1. Planejamento meticuloso – Antes de entrar na batalha,*
> *você já ganhou a guerra.*
> *2. Planejamento descuidado – Antes de entrar na batalha,*
> *você pode já ter perdido a guerra.*
> *3. Sem planejamento – A derrota é certa.*
> *4. O planejamento é a chave do sucesso e da vitória.*
> ***Sun Tzu (1.16)***

Enquanto não tiver uma intuição perfeita, você deve planejar com base na coleta de dados sólidos que apóiem as "suspeitas" de que chegou a hora. Seguir a intuição é um ponto de partida mais saudável do que vagar sem destino em dez mil direções. Ainda que a sua intuição seja infalível, não conte para ninguém ser essa a fonte de informação que você utiliza. Deixe que a intuição funcione como bússola, para descobrir onde colher os dados. Então, siga em frente e esteja preparada para explicar racionalmente como as conclusões são o resultado de um bom planejamento e de uma boa coleta de dados.

6. *Use o bom senso*

Há uma ocasião e um tempo oportunos
para se empregar o fogo no ataque ao inimigo.
Sun Tzu (12.3)

Se o vento estiver soprando na sua direção, não ateie fogo no terreno inimigo. Sempre verifique de que lado o vento sopra.

As pessoas gostam de fazer churrasco no verão porque a sincronização funciona a seu favor. O tempo é quente e seco. Ninguém faria um churrasco em meio a uma tempestade. Isso é bom senso. Por que trabalhar contra você mesma? Use a sua sincronização natural para melhorar os objetivos. A compreensão do bom senso não é sempre tão simples; é uma questão de entender a sincronização e os sinais universais.

A sincronização (*tien*) é o resultado da sincronicidade entre os desejos do inconsciente coletivo que afloram e a prontidão de idéias/produtos/pessoas para atender com perfeição esses desejos. A sincronização é um presente dos céus, que escolhem enviar suas graças aos que estiverem alinhados com a retidão.

Ainda que seja impossível controlarmos realmente a sincronização, podemos melhorá-la por meio não só de um planejamento detalhado, mas também da aceitação da intuição, do emprego do bom senso e da coleta cuidadosa de dados, seguidos da execução oportuna do plano. Ao incorporar o *tao* à vida diária, estamos melhorando naturalmente a sincronização.

3 Di
Terra

A Terra compreende longe e perto,
perigo e segurança,
terreno aberto e passagens estreitas.
Sun Tzu (1.5)

Aprendi com a experiência que felicidade ou desgraça dependem muito mais da nossa disposição do que das circunstâncias.
Marta Washington

Transformando desvantagens em vantagens

Da ordem vem o caos.
Da coragem, a covardia.
Da força, a fraqueza.
Sun Tzu (5.14)

Nada é completamente positivo ou negativo. Tudo depende de como usamos o que temos. Em situações de batalha, certas condições são permanentes – uma montanha à frente, um rio atrás; esses fatores não podem ser mudados. O terreno onde se pisa sempre contém vantagens e desvantagens, e tal como um general no campo de batalha, a sua tarefa é descobrir como utilizar e aproveitar ao máximo o que você tem.

Na vida, é tão importante conhecer as desvantagens como as vantagens – saber transformar desvantagem em vantagem e perceber que o que parece vantagem é também uma desvantagem em potencial. Para uma empresa grande, por exemplo, o tamanho pode ser uma vantagem, já que dá força e estabilidade. Mas as grandes empresas também são mais lentas na mudança, como um elefante tentando mudar de posição; e o tamanho, então, pode ser uma desvantagem.

Li é uma oficial com a patente de major no exército chinês. Ela é musicista, e se inscreveu para freqüentar as aulas de um grupo de elite em treinamento de combate; mas era sempre recusada, apesar de passar por severos exames. Todos os estudantes aceitos eram experientes generais do sexo masculino. Depois de muita resistência, o exército finalmente a aceitou como aluna daquela escola de guerra especial. Um general amigo meu, estudando na mesma turma de Li, contou-me que, toda vez que planejavam uma batalha, a estratégia elaborada por ela superava as dos outros, garantindo-lhe a primeira ou segunda colocação entre trinta generais.

A razão para isso é que aqueles generais vinham de uma única escola militar, onde tinham sido treinados para elaborar estratégias com base nos mesmos métodos e postulados clássicos. A jovem major nunca havia freqüentado uma academia militar oficial nem feito cursos sobre planejamento de estratégia de combate; por isso, seu raciocínio seguia uma linha completamente diferente da que seguiam os outros membros da classe.

Li sempre surpreendia os colegas do sexo masculino. Eles não tinham idéia de qual seria o próximo movimento dela e eram apanhados pelas soluções inovadoras e pelo planejamento criativo. O fato de ser mulher e não ter estudado em uma escola militar tradicional, que seria uma desvantagem, passou a trabalhar a seu favor.

Ser mulher pode ser vantagem ou desvantagem. Pertencer a um determinado sexo, como tudo na vida, não é uma condição inteiramente positiva nem inteiramente negativa. Todos temos certas desvantagens na vida. No entanto, o que é considerado desvantagem pode se transformar em armas secretas que levam à vitória. Aprender a transformar pontos fracos em pontos fortes e descobrir os tesouros escondidos em nossas fraquezas são atitudes que podem resultar em uma variedade infinita de possibilidades.

Todos podemos transformar desvantagens em vantagens. Para isso:

É preciso utilizar tudo o que somos

> *Aquele que modifica a tática*
> *conforme a do oponente*
> *para alcançar a vitória*
> *é um guerreiro divino.*
> ***Sun Tzu (6.32)***

Toda mulher é especial; portanto, não existe resposta única à pergunta: "como utilizar tudo o que sou?" Algumas mulheres conseguem competir em um mundo masculino, completamente à vontade com seu sexo. Se você não tem medo de ser tratada como mulher, pode apreciar o cavalheirismo masculino sem se sentir insultada; pode admitir que um homem se adiante para abrir a porta e carregue a bagagem, sem se sentir diminuída.

Sendo competitiva, porém elegante e eficiente, porém gentil, você confunde, fascina e surpreende os colegas e chefes do sexo masculino. Essa pode ser uma qualidade muito magnética. Os homens gostam de se cercar de mulheres assim poderosas, embora misteriosas e complexas. Ser tratada "como mulher" não significa tornar-se objeto sexual. Pense em você como profissionalmente igual aos homens, mas com o privilégio de usar meias de seda, sapatos de salto alto e roupas cor-de-rosa ou lilás. É essa a essência das palavras de Sun Tzu.

Se você é do tipo atlético, use isso para seguir adiante. Qualquer que seja o seu tipo, você tem um encanto especial. Que emocionante foi assistir à partida entre duas magníficas equipes femininas pela World Cup, em julho de 1999, no Pasadena Rose Bowl! Um bilhão de espectadores em todo o mundo, hipnotizados diante dos aparelhos de televisão, vendo Estados Unidos e China se enfrentarem pela copa mundial de futebol feminino.

Ao fim dos noventa minutos, o placar foi de zero a zero. Difícil encontrar algo mais belo do que aquela competição. A emoção me deixou em lágrimas, ao apreciar um tal esforço físico e mental. Os americanos nunca foram grandes fãs do futebol. Portanto, não era exatamente o jogo que chamava a atenção deles; era antes a vibração daquelas mulheres.

Esse tipo de poder feminino é uma prévia do que vai acontecer neste novo milênio. A própria qualidade antes considerada uma desvantagem – um jogo de mulheres, pouco viril – passou a ser uma vantagem. O mundo parou e assistiu. **Quaisquer que sejam as suas qualidades pessoais – agressividade ou gentileza, elegância ou esportividade, colaboração ou competição – use-as para alcançar objetivos. Uma garota tem de fazer o que tem de fazer.**

Floresça onde você foi plantada

Ela vence as batalhas
sem cometer erros.
A razão para que ela consiga vencer as batalhas
sem cometer erros
é porque ela conquista um inimigo
que já estava derrotado.
Sun Tzu (4.10)

Aceite todas as experiências de vida. Tudo o que somos e vivemos, o nascimento, o desenvolvimento, todas as experiências, alegres ou tristes, não são em vão. Onde você foi plantada é onde deve florescer.

Oprah Winfrey é um exemplo perfeito. Seu sucesso fenomenal como apresentadora de talk show tem origem direta na vida que levou. Ela nasceu em um meio pobre, cresceu cercada pela intolerância e, aos catorze anos, engravidou e perdeu o bebê. O sofrimento precoce contribuiu para desenvolver sua sensibilidade e a capacidade de se relacionar. Ela floresceu onde foi plantada.

Se você tem uma deficiência física, saiba que dentro dela se escondem percepções muito especiais, que faltam às pessoas comuns. Helen Keller, a grande educadora e gênio da literatura, nasceu sem a capacidade de enxergar, ouvir e falar e, no entanto, por não ter a atenção desviada pelo clamor normal dos sentidos, conseguiu alcançar um nível intelectual mais alto do que muita gente que possui todas as faculdades sensoriais.

Deficiência física não pode ser considerada impedimento absoluto na vida de ninguém. Somente uma grave deficiência mental pode vir a ser obstáculo à realização dos mais altos objetivos de vida. Maureen Even, presidente da Time Warner Trade Publishing, lutou e conseguiu chegar ao topo do mundo editorial, altamente competitivo, apesar da dupla "deficiência" de ser mulher e de ter tido poliomielite na infância.

O tipo de vida que levamos é a maneira que o Criador tem de nos preparar para cumprirmos nosso destino único e pessoal. A vida nos oferece todo tipo de circunstância, algumas terríveis, como se fossem blocos de construção mal encaixados no mosaico da vida. Enquanto não começarmos a trabalhar com esses blocos, não conseguiremos ver o panorama geral, ou seja, que todos eles são essenciais à composição do singular e glorioso retrato da vida de cada um.

Encontrando uma nova perspectiva

Na batalha,
use as formações regulares
para combater o inimigo.
E use a surpresa
para derrotar o inimigo.
Sun Tzu (5.5)

Não importa quem ou o que você é, nem que tipo de produto está vendendo: seja a primeira a explorar e executar estratégias surpreendentes e pouco convencionais. O poder da estratégia reside no fato de não ser familiar: ela desarma pela surpresa. Em tudo que você fizer, busque sempre um novo ângulo, uma perspectiva diferente.

Ao procurar por um novo ponto de vista, examine com atenção o monte de lixo físico e psicológico rotulado de "desvantagens"; lá pode haver um tesouro enterrado. A maioria das pessoas nem percebe que pode estar perdendo a chance de encontrar uma rara pedra preciosa.

Daw Aung San Suu Kyi é uma birmanesa laureada com o Prêmio Nobel da Paz, líder de um movimento pacifista pelos direitos humanos e pela restauração da democracia. É uma mulher atraente, que se veste de modo bem feminino e sempre usa um arco de flores frescas nos cabelos. Ou seja: em tudo diferente da imagem mental que se faz de uma revolucionária.

Na Birmânia, nunca se tinha ouvido falar de uma mulher que liderasse uma revolução. Por ser mulher, e bonita, o mundo prestou atenção nela e apoiou sua causa. Apesar de tão pequena, ela incomodou bastante o cruel ditador de seu país.

Golda Meir, ex-Primeira Ministra de Israel, costumava fazer chá e servir bolo aos membros do gabinete e às autoridades estrangeiras com quem se reunia. Ao agir como cozinheira e copeira, e não como Primeira Ministra, fazendo coisas que os homens considerariam impensáveis para uma ocupante daquele cargo, ela desarmava o ego masculino. Quem conseguiria ser rude com uma figura tão graciosa, tão parecida com uma avozinha?

Em vez de esperar que alguém aponte um novo caminho, encontre novas formas de *marketing* pessoal e tenha a coragem de expor alguma coisa bem diferente do que já foi feito. Garanto que a recompensa virá sob a forma de benefícios tangíveis. Mas tenha cuidado: uma boa idéia só é boa se você adotá-la e incorporar seu espírito. Não faça nada apenas por fazer; pois o tiro certamente sairia pela culatra.

▸ *Entendendo que o que parece desvantagem é, na verdade, vantagem*

Da ordem vem o caos.
Da coragem, a covardia.
Da força, a fraqueza.
Sun Tzu (5.14)

Pela lógica do que disse Sun Tzu, "da vantagem vem a desvantagem". O problema começa na definição de vantagem e desvantagem. Em cada cultura, quem estabelece o que é desvantagem é a maioria; mas o que aqui é considerado desvantagem, ali pode ser visto como vantagem.

A mais importante etapa a cumprir é desafiar o que nos ensinaram a ver como desvantagem e não aceitar o julgamento medíocre da maioria que faz as regras. Toda desvantagem é um recurso favorável disfarçado.

Como regra geral, ser mulher e asiática vivendo na América seria considerado uma fraqueza e uma desvantagem. Dentro dessa fraqueza, porém, está o poder secreto da minha força pessoal.

Muitas asiáticas me perguntaram: "Ouvi dizer que nos Estados Unidos existe preconceito contra os asiáticos e as mulheres. Você se enquadra nos dois casos. Como lida com isso?".

Minha resposta é: "O fato de ser mulher e asiática provou ser minha força, e não minha fraqueza. Se eu fosse um homem louro de olhos azuis, tivesse freqüentado as mesmas escolas públicas e aprendido o mesmo que todos no país, não saberia como competir. É difícil competir com gente parecida com você. No fato de ser diferente, que pareceria uma desvantagem, é onde encontro minha força especial".

É claro que, se eu fosse um homem louro de olhos azuis, teria de descobrir aspectos que fizessem da minha uma vida única. Todo mundo tem esses aspectos. Ser diferente não é desvantagem; apenas faz você especial.

No outro lado da sua força está a sua desvantagem

O universo contém cinco elementos –
água, fogo, madeira, metal, terra.
A água conquista o fogo, a madeira e o metal,

e, no entanto, a terra pode conquistar a água.
O mesmo princípio se aplica
ao fogo, à madeira, ao metal e à terra.
Na força de cada elemento
está sua fraqueza.
Sun Tzu (6.32)

Assim como as suas desvantagens podem se transformar em vantagens, as suas vantagens contêm desvantagens em potencial. O círculo de *yin* e *yang* é metade preto e metade branco. Dentro da metade preta, há um pontinho branco, e dentro da metade branca, há um pontinho preto. Dentro da sua desvantagem, está a sua vantagem; e dentro da sua vantagem, está a sua desvantagem.

Se a sua força está na empatia e na compaixão, você talvez tenha certa propensão à fraqueza e à inépcia, quando se trata de disciplinar a equipe ou a família. Se você é muito confiante e capaz de tomar decisões rápidas, talvez tenha tendência à intolerância e à inflexibilidade. Orgulhe-se da sua força, mas verifique sempre se ela não está trabalhando contra você; assim, vai conseguir ajustar ou controlar possíveis prejuízos.

Mude as circunstâncias, de modo que as suas desvantagens se transformem em força

A água encontra seu curso
de acordo com as condições do terreno.
A guerreira alcança a vitória, criando estratégias
de acordo com o inimigo que enfrenta.
Sun Tzu (6.30)

Não adianta querer fincar uma estaca quadrada em um buraco redondo. Se o seu trabalho exige criatividade, mas você não tem idéias ousadas, apesar da consistência e precisão nos detalhes, é melhor mudar de trabalho em vez de tentar mudar o jeito de ser. Ainda que você conseguisse se modificar, seria difícil competir com aqueles que contam com uma ousadia natural.

Vá trabalhar com contabilidade ou engenharia logística, e o que era desvantagem vai se transformar instantaneamente em eficiência. O seu novo chefe achará uma bênção poder contar com você, e trabalho passará a ser sinônimo de satisfação.

O propósito de aprender as regras da estratégia é para poder quebrá-las, para criar maneiras mais inovadoras, imprevisíveis mesmo, de superar a previsibilidade dos concorrentes. As definições de "força" e "fraqueza" que a cultura da maioria faz chegar a nós são muito unidimensionais.

Precisamos considerar nossos atributos pessoais e experiências de vida, usando-os para virar nossas forças e fraquezas pelo avesso e de cabeça para baixo, brincando com elas. Só assim faremos a vida girar, sem nos prendermos a características que não podemos modificar. Aprenda a manipular o poder de *di* como expressão do seu brilhantismo na criatividade e na adaptabilidade.

> Acredito que, para a mulher,
> a chave é não estabelecer limites.
> ***Martina Navratilova (tenista)***

TROQUE OS SEUS MOMENTOS DE MELANCOLIA POR OPORTUNIDADES

Sun Tzu diz que você pode ser vítima das próprias qualidades, sejam elas quais forem. Pode-se dizer com certeza que o século XX vai ficar conhecido como "Século Alegre". Todos nos tornamos obstinados com essa atitude de euforia. Se você não fica alegre o tempo todo, as pessoas começam a pensar que alguma coisa está errada.

> *Existem cinco falhas perigosas*
> *que levarão um general ao fracasso:*
> *quem está disposto a morrer é*
> *facilmente morto.*
> *Quem se agarra à vida pode ser*
> *facilmente capturado.*
> *O impulsivo*
> *vai se arrepender de seus movimentos.*
> *Quem se prende à honra*
> *pode facilmente se sentir envergonhado.*
> *Quem é excessivamente cauteloso*
> *com seus soldados*
> *cai vítima da própria preocupação.*
> ***Sun Tzu (8:11)***

Mas ninguém pode ser alegre o tempo todo. Quando tentamos uma alegria forçada, estamos preparando o terreno para a auto-acusação, a autocrítica e um estado de eterna insatisfação, porque é um padrão impossível de alcançar. Eu mesma conheço muitos autores e palestrantes especializados em motivação profissional que, ao se apagarem os refletores, voltam para suas vidas que são tão infelizes quanto a vida de qualquer um.

Como Sun Tzu observou, os que não têm medo de morrer fazem movimentos imprudentes que os tornam alvos fáceis. Não querendo trair a honra, você pode levar seu exército à ruína. Sempre que adota uma posição extrema, ainda que positiva, como a tentativa de um constante otimismo, você pode trazer à tona o próprio descontentamento.

Nenhuma qualidade é inteiramente boa nem inteiramente má. Mesmo as boas intenções podem trazer más conseqüências. Como disse Tai Gong Wong, guru de Sun Tzu, e que viveu aproximadamente mil anos antes dele: *"A fragilidade tem seu valor. A brutalidade tem seu lugar. A depressão tem sua utilidade. A valentia tem seus aspectos"*.

De acordo com Tao Gong Wong, todo detalhe, quer pareça positivo ou negativo, carrega o poder explosivo de transformar a vida e de empurrar você para a frente, no sentido de torná-la uma pessoa melhor. Existe um propósito definido em se permitir momentos não muito alegres. Na vida, portanto, nada se perde; tudo que você tem a fazer é tentar transformar os acontecimentos do dia-a-dia – mesmo os momentos de melancolia – em oportunidades fantásticas.

Como transformar momentos de melancolia em oportunidades:

▸ *Aproveitar os momentos "mornos"*

Os ritmos naturais da mulher são mais cíclicos que os do homem. Nós, mulheres, nos recolhemos mais. Em vez de lutar contra isso, vamos explorar seus aspectos positivos. Mesmo o praticante de salto em altura precisa se curvar antes de saltar. A natureza tem e segue ciclos de mudança – primavera, verão, outono, inverno. No inverno, a terra descansa, para renascer na primavera.

O urso hiberna, preparando-se para a primavera. Felizmente, ele não faz cursos de treinamento em motivação; senão, com o "conhecimento" recém-adquirido, enquanto estivesse tentando hibernar, ficaria se criticando e dizendo: "Levante, levante, seu preguiçoso". Parte de sua psique estaria querendo responder ao chamado de seu ritmo natural de sono, enquanto a outra parte de seu cérebro ficaria pensando em como "deveria" ser positivo, alegre, motivado e tratar de se mexer. Quando a primavera finalmente chegasse, o pobre urso estaria extenuado e mal-humorado pela falta de descanso conveniente.

Seres humanos são parte da ordem universal dos elementos, e por isso estamos sujeitos às flutuações da natureza. A água vai aumentando o calor aos poucos, até chegar à fervura. Sem esse calor inicial, não existe água fervente.

A fase de calor moderado não significa não fazer nada. Durante esse período, em que se armazena a criatividade, você reúne forças para dedicar a uma atividade. Todos já passamos pela experiência de uma produtividade mais dinâmica depois de um período de "calor moderado". Eu mesma, antes de um grande projeto, como um novo livro, preciso de tempo para vegetar. Depois, sinto-me renovada; a inspiração aprisionada parece prestes a explodir, e os capítulos saem um atrás do outro.

Cada um tem seu estilo de calor moderado. Você pode se aninhar na cama e ler um livro, assistir à televisão, viajar na Internet, cuidar do jardim ou preparar uma refeição suficiente para um exército. Permita-se não fazer nada "produtivo". O calor moderado é parte necessária do ciclo humano.

Aproveite, divirta-se. Descanse, mergulhe dentro de si. Todos precisamos "cozinhar em fogo lento" de tempos em tempos. É o que nos dá forças para crescer em inovação e criatividade. Ninguém precisa saber que você está passando por um período de calor moderado; nem o chefe nem os colegas de trabalho.

Respeite os seus momentos de melancolia

Respeite os momentos melancólicos. Eles fazem parte da sua criatividade. Muitas de nós se sentem inferiores nesses momentos e se envergonham deles. Mas, como já dissemos muitas vezes, todo atributo do universo tem sua finalidade. Se você está realmente doente e deprimida, procure um médico; mas se é uma tristeza ocasional, respeite – ela é importante.

As mulheres tendem a ter mais consciência de seus pontos baixos. Os homens também os têm, mas não dão tanta atenção. Quando se sentem desanimados, procuram meios de reverter isso, distraindo o pensamento. Por exemplo: vão até o bar beber qualquer coisa. Winston Churchill chamava seus momentos de melancolia de *"black dog"* – cachorro preto. Sua atuação, no entanto, tinha relação direta com esses momentos de "cachorro preto". Sem eles, com certeza, Churchill não teria a metade do brilho que teve como estrategista e estadista.

A mulher que atua em um mundo masculino freqüentemente se sente inferior, por causa de seus naturais ciclos físicos e emocionais. Alguns homens nos criticam quando passamos por esses ciclos. Ninguém precisa saber disso. Guarde para si o desconforto físico. Tenha consideração por você mesma. Quando, ocasionalmente, se sentir melancólica, fique quietinha. É a maneira que a natureza tem de nos mandar diminuir o ritmo. Na solidão, recuperamos o brilho criativo.

A insatisfação é a raiz de toda criatividade

A criatividade e a inovação se baseiam na insatisfação do espírito. Insatisfeito, o espírito procura maneiras de melhorar sua condição e busca um canal melhor de expressão. O descontentamento é o motor que impulsiona a criatividade e a inovação.

Bete Midler disse, certa vez, que seu marido a considerava a mulher mais angustiada que ele conheceu na vida. Jerry Seinfeld declarou ter de viver em Nova York porque a constante agitação da vida na cidade é o catalisador que cria a grande comédia. É claro que ninguém quer viver o tempo todo em agonia, mas é na aflição que o espírito humano se aperfeiçoa. Sem ela, escritores, artistas, pintores, arquitetos, designers, poetas, compositores e comediantes não têm como criar seu trabalho de arte extraordinariamente brilhante. Os momentos melancólicos são parte necessária da evolução humana.

Aceite os ciclos de altos e baixos

Toda gente que transita pelo mundo dos negócios conhece os ciclos de vendas. Mesmo a melhor vendedora do mundo tem suas fases de "maré baixa". O problema é que, enquanto atravessa esses ciclos temporários, ela é julgada secretamente pelos colegas. Será que perdeu o jeito? Será que vai se recuperar? O sofrimento de saber que está sendo julgada é muito maior que a perda no rendimento do mês.

Vamos esclarecer: a todo mundo é permitido ter seus períodos de baixa; eles também fazem parte do ciclo da natureza. Quando eu disse isso, em uma palestra que fiz para os mil melhores vendedores de uma grande empresa, reunidos para comemorar seu sucesso, ouviu-se um suspiro de alívio coletivo percorrer o auditório. Todos aqueles profissionais conheciam o sofrimento secreto que os meses de flutuação do desempenho representam.

Quanto mais rápida for a aceitação do período de baixo desempenho, mais depressa virá a recuperação. Acusar-se e resistir só serve para diminuir a sua eficiência. Quando você resiste, a situação persiste. Aproveite o período de baixa produtividade para viajar até a Europa, Ásia, Nova Zelândia, Tasmânia... Vá para qualquer lugar onde consiga relaxar e esquecer o trabalho.

A mudança de ambiente ajuda a mudar o estado mental, trazendo um novo entusiasmo pelo trabalho. Se não for possível viajar,

ponha o sono em dia, leia, cuide do jardim, retome projetos em relação à casa – todas aquelas coisas que fazem a vida continuar. O modo como usamos o tempo de desaceleração afeta diretamente a nossa eficiência em tempos de grande atividade.

Tirar o máximo
de suas forças e fraquezas
envolve o exato uso do terreno.
Sun Tzu (11.37)

Ao estabelecer como objetivo de vida ser uma vencedora amante do prazer, tudo o que você fizer estará concorrendo para isso, inclusive os reveses, os momentos de melancolia, os altos e baixos e todos os acontecimentos, por mais insignificantes que pareçam. Todas as circunstâncias se unem no sentido de criar aquele rico, imenso e multicolorido trabalho de tapeçaria a que chamamos "vencedor".

Lembre-se de que ninguém pode fazer
você se sentir inferior
sem o seu consentimento.
Eleanor Roosevelt (mulher dedicada à filantropia)

A essência de *di* é aceitar o que não podemos mudar e fazê-lo funcionar em nosso próprio benefício.

Lidando com o assédio sexual

Quando as suas forças estiverem em posição inferior,
faça movimentos de defesa;
quando as suas forças forem superiores,
faça movimentos de ataque.
Sun Tzu (4.6)

O assédio sexual – por mais desagradável que seja – acontece em virtualmente todos os níveis da sociedade moderna. Por mais que as leis procurem proteger a mulher no ambiente de trabalho, enquanto os homens pensarem em sexo a cada segundo, estaremos em apuros. Sempre haverá um homem desprezível que se sentirá poderoso pelo fato de fazer gestos ou observações vulgares de conotação sexual.

Ellen, vice-presidente para a Europa, Oriente Médio e África de uma grande empresa, contou: "Não consigo pensar em uma só mulher que não tenha sofrido algum tipo de investida sexual. Quando eu freqüentava a Universidade e trabalhava em uma grande loja de departamentos, meu chefe, que me conhecia havia pouco tempo, perguntou: 'Quando foi que você descobriu o seu clitóris?' Fui para casa e chorei a noite toda. Precisava desesperadamente do dinheiro para pagar meus estudos. Ali estava eu, trabalhando com um homem que me dizia aquilo; mas agüentei.

Também me lembro do primeiro emprego que tive ao deixar a Universidade, em uma grande corporação. Durante uma reunião, o gerente geral, diante de 250 engenheiros, disse: 'Agora, quero apresentar Ellen. É um prazer tê-la conosco'. E começou a enumerar minhas credenciais. Fiquei encantada ao vê-lo se preocupar em que eu tivesse um bom começo. Estava sentada no fundo do auditório, e ele continuou: 'Ellen, levante-se, para que todos possam vê-la'. Novamente, pensei como era bom entrar para aquela organização, mas estava um pouco sem graça; levantei e sentei rapidamente.

Ele, então, insistiu: 'Ellen, levante-se novamente, por favor. Os colegas das primeiras filas não conseguiram ver por que estou tão satisfeito em tê-la conosco. Ela é um pedaço de mau caminho'.

O que ele estava dizendo diante de 250 homens era: '(1) Ela é uma mulher bonita; (2) Por isso, gosto que ela esteja aqui; e (3) Os 250 homens têm a permissão de vê-la por esse ângulo'. Naquele tempo, não dispúnhamos de qualquer tipo de ajuda para casos de humilhação sexual. Simplesmente registrei lá no fundo da mente: 'Tomar cuidado com este homem'. Nenhuma mulher se sentia em condições de tentar impedir aquele comportamento. Nem eu teria tomado medidas legais; meu jeito de resolver as coisas é outro.

Resolvo as coisas conversando. Poderia contar pelo menos quinze histórias a meu respeito, sobre o que tive de suportar enquanto subia na carreira. O interessante é que, ao chegar aos níveis de diretoria e vice-presidência, esse tipo de coisa deixou de acontecer. Quando a mulher alcança um certo nível, os homens sabem que, se mexerem com ela, vão sofrer as conseqüências. Eles percebem".

Perguntei a Ellen: "Quando disse que não tomaria medidas legais, e que preferia conversar com o homem, o que diria a ele?"

Ellen respondeu: "Tento explicar que aquele tipo de comportamento me cria problemas, e que se acontecer com outras mulheres, vai criar problemas para elas também. Digo que não sou do tipo que apela logo para a justiça, mas ele pode não ter a mesma sorte com outras, que veriam aí uma oportunidade, não de educá-lo, mas de processá-lo. Faço com que ele compreenda meu ponto de vista: (1) Não faça isso comigo; (2) Você está correndo um sério risco com outras mulheres; e (3) Como funcionário graduado, você deve dar o exemplo.

Pensei no meu início de carreira. Naquela época, esse tipo de discussão não seria possível, porque eu estava ainda nos primeiros degraus da escada. Era jovem e nova na organização, não tendo ainda conquistado credibilidade.

Lembro-me de que a situação difícil durou dois anos. Depois que conquistei credibilidade e construí um sistema de apoio, passei a enfrentar. Mulheres que não alcançaram essa posição provavelmente se esforçam por suportar e se sentem diminuídas a cada investida.

Acredito que o assédio sexual nos deixa marcas. Sou uma das seis mulheres que alcançaram certa posição na empresa. As pessoas me olham e dizem: 'Ela é poderosa; conseguiu sucesso em uma companhia de engenharia dominada por homens'.

Mas eu diria que uma parte do meu coração guarda rancor pelos anos e anos em que, para me preservar no local de trabalho, não podia reclamar. Ainda bem que, no final, o que suportei me ajudou a alcançar o que queria".

A experiência de Ellen é comum entre as mulheres trabalhadoras. Ela, obviamente, se saiu bem e progrediu na carreira, resistindo ao sofrimento. Não se deixou destruir; em vez disso, usou a experiência para seguir em frente e subir, podendo, então, reagir.

Como lidar com o assédio sexual:

Use a sua raiva para alimentar o avanço na carreira

Ellen concordou comigo que a raiva fez parte da força que impulsionou sua carreira. Ao passar pela humilhação de ter de suportar as investidas sexuais, ela se tornou um bom sistema de apoio para outras mulheres que viveram a mesma situação.

Finalmente, Ellen concluiu dizendo: "Existe uma coisa que me ajudou a suportar a raiva. Não acredito que os homens acordem de manhã pensando: 'Hoje, vou fazer um esforço consciente para assediar sexualmente aquela mulher, ou fazer com que ela se sinta inferior, ou vou ignorá-la'. Acredito que eles sejam produto da nossa cultura. Enquanto isso não lhes for mostrado, vão continuar a agir do mesmo jeito. Creio que 90% dos homens não são maus".

O assédio sexual diminui quem o pratica, e não quem é vítima dele. Quem sofre só pode se sentir fortalecido. Lamento pelos homens que precisam assediar as mulheres para se sentirem seguros de sua masculinidade, porque, a cada gesto ou observação vulgar que fazem, se diminuem e agem como um ácido que destrói, pedacinho a pedacinho, a virtude que têm dentro deles, o que só serve para exacerbar o machismo e a estupidez.

Mantenha registros adequados

Depois de um *workshop* de três dias na Austrália, uma senhora me procurou. Chorava copiosamente e me agradeceu pelo meu livro, que a tinha ajudado a atravessar uma situação difícil. Eu a abracei, ainda sem pistas sobre o que teria acontecido. Depois dos beijinhos e abraços das outras 500 participantes, ela me contou em particular sua história. Tinha processado por assédio sexual uma das maiores empresas da Austrália. O problema foi tão sério, que ela passou a sofrer de terríveis dores de cabeça.

Depois de um exaustivo ano de luta, ganhou a questão. Isso só foi possível graças a seus registros detalhados, com anotações específicas, datas e horários das investidas. E mais: registros médicos comprovaram que, toda vez que era assediada, surgiam-lhe graves problemas físicos. Sem isso, ela não teria a menor chance.

Ainda que você não pretenda processar ninguém, registre. Nunca se sabe quando vai ser útil.

Fortaleça a auto-estima

Assédio sexual invade a privacidade física e mental. Mas você tem uma série de direitos protegidos por lei. Então, pode procurar as autoridades e relatar o caso. Entretanto, mesmo vencendo, às vezes você perde. Os empregadores, sejam homens ou mulheres, passam a ter medo de você e a querer distância. Em particular, os colegas podem aplaudi-la pela coragem, mas, sabendo da sua disposição de recorrer à justiça, passam a manter uma distância respeitosa. E o que é pior: apesar de todos os esforços, você pode perder a questão.

> Não faz muito tempo, li em um jornal de Taiwan sobre uma advogada que trabalha para a Suprema Corte. Não conseguindo mais suportar as investidas sexuais verbais de um colega, ela encaminhou queixas e moveu uma ação. O resultado é que o homem foi multado em cerca de 40 dólares, e ela foi despedida. Histórias como essa me fazem o sangue ferver.

O assédio sexual é ofensivo, mas não pode diminuir ou destruir a auto-estima. Se nossa auto-estima fosse tão frágil, estaríamos diante de um sério problema. Tome cuidado: em uma sociedade que adora um processo, 50% dos advogados estão em busca frenética por uma causa, e podem tentar convencê-la de que, tendo sido vítima de uma investida sexual, você foi psicologicamente atingida. Se disser que não foi atingida psicologicamente, o advogado certamente vai tentar convencê-la de que se sente inferiorizada diante da vida. Pode acontecer de o seu advogado, amigo e protetor, fazer um estrago maior do que aquele feito pelo culpado inicial. Faça o que for melhor para você – aceite ou evite o confronto direto – mas proteja a sua auto-estima.

Aquele que tem habilidades de defesa se esconde
sob o nono nível da terra;
aquele que tem habilidades de ataque viaja
acima do nono nível do céu.
Esta pessoa é capaz de se proteger do mal
e de alcançar rapidamente a vitória.
Sun Tzu (4.7)

Como disse um grande filósofo chinês, "Quando o universo quer glorificar um indivíduo, faz com que seu corpo, sua mente e seu espírito passem antes por extraordinárias provações. *Então, estará pronto para assumir a grande tarefa".* Em vez de se deixar abater, procure a luz que se esconde atrás de cada nuvem escura. Quando não há uma solução perfeita, ideal, para um problema terrível, além de buscar o apoio da família e dos amigos, a sua melhor arma está em encontrar força dentro de si.

Este é o exercício de *di.* Assédio sexual não pode afetar a sua autoestima. Você é muito mais forte do que as circunstâncias infelizes e a mente estreita de quem faz a investida.

Estou onde houver luta contra o erro.
Mother Jones (ativista trabalhista)

TRANSFORMANDO A SEXUALIDADE EM VANTAGEM

A habilidade de calcular as dificuldades, o perigo e a distância é a qualidade básica de um bom general.
Um grande general deve saber utilizar as condições naturais da terra, melhor aliada de um soldado;
mas nada é tão decisivo para a vitória quanto a capacidade de interpretar o oponente.
Sun Tzu (10.16)

Nós, mulheres, estamos sempre dispostas a comentar os problemas que a sexualidade nos causa na vida profissional. Estamos dispostas até mesmo a encarar a dolorosa experiência do assédio sexual. Mas quando se trata de discutir o uso da nossa sexualidade como vantagem competitiva, fechamos a boca coletivamente. O emprego da sexualidade como ferramenta na vida profissional é assunto muito particular. Concordo em não informar aos homens sobre os benefícios que vêm da feminilidade, desde que entre nós não seja escondida a verdade: ser mulher tem suas vantagens.

Somos filhas de Vênus, e herdamos dela a beleza, a sexualidade e a sensualidade. Se a sexualidade nos trouxe o assédio indesejável, vamos aproveitar também as vantagens. Sexualidade não é sexo; é atitude. É a expressão da beleza interior que existe em ser mulher.

Você pode converter a sexualidade em vantagem competitiva:

- *Usando o encanto feminino para fazer os homens contribuírem para os seus objetivos*

A mulher não pode arrancar de si o natural encanto feminino, indefinível, já que cada uma tem o seu.

Não tenha medo de explorar o papel da sexualidade na vida profissional. Quer você queira, quer não, a sexualidade desempenha um papel – ao menos inconscientemente – que pode funcionar contra ou a favor. A escolha é sua: dominar essa energia ou ser vítima dela.

Quando éramos garotinhas, sabíamos usar a sexualidade para manipular pai e irmãos a fim de conseguir certas vantagens. A filha sabe lançar aquele olhar pelo canto do olho que derrete o coração do pai. Quando adolescente, a garota sabe intuitivamente que a cabeça maior do garoto obedece à "cabeça menor", e usa isso para conseguir favores, grandes ou pequenos, que podem ir desde pegar um copo de refrigerante a fazer a lição de casa por ela.

No lar, a sexualidade feminina pode levar o homem a fazer coisas de que ele não gosta, como lavar a louça ou levar o lixo para fora. A vida profissional é simplesmente uma extensão da vida doméstica; use a sexualidade (não estou falando de *sexo,* mas de encanto, apelo, energia sexual) motivando os colegas, chefes e clientes do sexo masculino a contribuírem para a realização dos seus objetivos.

Atraindo novos clientes por meio da sexualidade

Recentemente, assisti a uma entrevista com uma jovem e atraente advogada, especializada em transações bancárias, que queria oferecer seus serviços a potenciais clientes *high profile*. Então, colocou um anúncio em uma conhecida revista financeira.

Na entrevista, a jovem contou que, como 90% de seus clientes em potencial eram homens, em vez de criar mais um anúncio igual a tantos outros, que traria pouco retorno, acrescentou ao texto uma foto sua vestindo minissaia, jaqueta e saltos altos, alta e poderosa, com um dos pés sobre uma cadeira. Como resultado do anúncio, muitos banqueiros influentes a procuraram, e ela teve a oportunidade de demonstrar o quanto era boa no trabalho que fazia. É incrível, mas é verdade. A propósito: os colegas de profissão do sexo masculino só faltaram chorar, reclamando da injustiça da situação, já que não tinham os mesmos recursos que ela.

Usando o poder feminino para remover barreiras e vencer a resistência

Durante um almoço, ouvi de Amy, bem-sucedida representante de vendas de uma companhia de material pesado para a indústria, o seguinte depoimento: "É bom que os homens sejam movidos a interesse sexual. Somos todos seres sexuais. Se você souber usar esse poder, não é tão terrível. É um meio de fazer potenciais clientes do sexo masculino ouvirem o que você tem a dizer e se deixarem convencer".

Amy continuou: "Quando Elizabeth Taylor era casada com John Warner, ela o ajudou na campanha para o Congresso e dizia que as pessoas iam vê-la e ouviam a mensagem dele, que conquistava mais um eleitor. Assim como Liz usou a fama e o encanto sexual para ajudar o marido, uso minha feminilidade para afastar a barreira da resistência".

O número de mulheres que empregam a feminilidade para afastar barreiras é maior do que queremos admitir.

Subindo em ziguezague

Gretchin é outra mulher que tem algo a nos ensinar. Nos anos 1990, ela era a única mulher a ocupar o cargo de gerente geral em uma grande empresa. A empresa era tão conservadora, que incentivava homens e mulheres a usarem um estilo de roupa padrão; para as mulheres, nada de vestidos justos, feitios e formas elaboradas nem cores berrantes. Entrar em uma de suas fábricas era o mesmo que entrar em uma igreja Puritana.

Menos Gretchin. Aquela beleza alemã de um metro e oitenta sempre ia trabalhar usando roupas justas e saltos sete e meio. E se sentia muito à vontade. Embora fosse uma mulher espetacular, seu guarda-roupa não fazia parecer que estivesse querendo se mostrar. Durante as reuniões, tinha um gesto freqüente, que era tocar levemente o pescoço, logo acima da gola, com a mão direita. Quando se levantava para falar, sempre respirava fundo, expandindo o peito inconscientemente.

Todos os homens da empresa "babavam" por ela. As mulheres a invejavam pela coragem de ostentar a própria beleza. Em ziguezague, a carreira de Gretchin foi avançando. Ela conhecia o poder que tinha sobre os homens, e sabia como usá-lo. Mas todos eles – do pessoal da diretoria aos *boys* – sabiam que ela só estava disponível para o marido.

Incluindo a sexualidade no currículo

Rose é uma moça atraente que trabalhava como balconista em uma loja de departamentos, recebendo salário mínimo. Há um ano, conseguiu outra colocação: promotora do Viagra – a droga maravilhosa – junto aos médicos. A função normalmente exigiria registro de farmacêutico, mas Rose não tinha experiência alguma na área.

O laboratório reconheceu em seus recursos femininos uma vantagem maior que a desvantagem da falta de conhecimento médico. Ela foi, então, mandada para um curso de três meses de treinamento intensivo. Para os laboratórios, o maior desafio é fazer com que os médicos encaixem a visita dos representantes em sua agenda normalmente cheia. Como a maioria dos médicos é do sexo masculino, a aparência e a simpatia provavelmente seriam suficientes para convencê-los a recebê-la. O resultado é que eles apreciam as visitas de Rose, e o índice de vendas aumentou.

Nem toda garota é dona de um corpo espetacular e um rostinho angelical, mas cada uma de nós tem algo especial e atraente. Acentue isso. Use esse recurso para progredir na vida e no trabalho.

Aproveitando a energia da expectativa

Na vida profissional, se você ostentar sexualidade sem manter a dignidade feminina, pode facilmente abrir caminho para baixo – um mau negócio para a carreira.

Nunca se ofereça; a expectativa pelo jantar em ótimo restaurante é sempre melhor que a sensação de ter a barriga cheia e a conta para pagar. Não passe uma mensagem enganosa e irreversível, que lhe pode causar sérios problemas. Aja de modo que, quando você der as costas, ninguém se sinta enganado.

Sendo sexualmente poderosa em qualquer idade

Sexualidade não é propriedade exclusiva das jovens e bonitas. Todas conhecemos alguém que, mesmo depois dos sessenta, com um sorriso ou um olhar especial, nos derrete o coração.

> *Aquela que conhece as estratégias vencerá.*
> ***Sun Tzu (10.17)***

Sei que algumas críticas literárias, militantes do movimento feminista, vão me odiar, acusando-me de fazer o movimento retroceder cinqüenta anos, mas estou apenas sendo realista. A vida não é traçada com exatidão nem é politicamente correta em todos os aspectos.

> Sem emoção não existe beleza. Você não precisa ter nascido bela para ser incrivelmente atraente.
> ***Diana Vreeland***

Enquanto os homens estiverem fascinados pela sexualidade feminina, as mulheres vão ter de descobrir meios de fazer esse poder atuar a seu favor. Essa é a maneira inovadora de utilizar *di*. Para incorporar a sexualidade, não é preciso fazer nada. Basta tomar consciência do poder do seu encanto feminino.

Estilo característico e substância

> *A luta pela sobrevivência dará à luz uma nova força.*
> ***Sun Tzu (11.61)***

Tentando vencer as batalhas econômicas e sociais, nós, mulheres, descobrimos a nova força que resulta da mistura de substância e estilo – uma combinação imbatível. No ambiente profissional, substância é essencial, mas não é o único fator determinante do sucesso na carreira; também é preciso percepção. Você pode gostar de vestir roupas descombinadas, cobrindo o corpo com uma bandeira do feminismo, mas não se esqueça de que, por enquanto, ainda vivemos em um mundo masculino.

Se os chefes ou clientes não enxergarem além da aparência, você vai ter problemas para subir na carreira. Sem uma boa embalagem, ninguém se interessa em conhecer o valor do produto.

> Um comentarista, certa vez, referiu-se à corrida presidencial entre Walter Mondale e Ronald Reagan como a batalha da substância contra o estilo. Mondale tinha a substância, Reagan, o estilo. Venceu o estilo. Reagan *parecia* mais presidenciável; por isso venceu.

Pela minha observação não científica, acredito que a maioria das mulheres que trabalha possui mais substância que estilo, inclusive eu. A boa notícia é que é mais fácil adquirir estilo do que substância. Por isso, os programas de televisão que mudam a aparência das pessoas são tão populares; com boa orientação, qualquer mulher pode conseguir uma transformação instantânea. A substância, por outro lado, precisa ser trabalhada com a atenção de quem se dedica ao conteúdo de um livro. É muito mais fácil criar a capa do livro do que compor sua substância.

Não existe mulher feia; só mulher preguiçosa. O primeiro passo no sentido de melhorar o estilo é a consciência de que ele não existe sem boa saúde. Nunca é demais enfatizar a importância de comer bem, fazer exercício e se cuidar. São tantos os livros e artigos escritos sobre o assunto, que você provavelmente sabe muito bem o que fazer.

A questão é se você considera importante se sentir bem. Quando você é jovem, acha que está bem demais para se cuidar; quando envelhece, começa a achar que não está tão bem e tenta recuperar o tempo perdido. Se você se cuidar enquanto for jovem, vai chegar aos 50 parecendo nem um dia a mais que 38. É o que se chama "envelhecer com estilo e elegância".

Mas o que é exatamente "estilo"? Valentino, o famoso estilista italiano, disse certa vez: "Se você tem boa atitude, tem estilo". Outros acreditam que estilo é uma forma de autodisciplina. Estilo é uma amostra de quem você é.

Estilo não é apenas a maneira como você se veste; é atitude, é expressão facial, é linguagem corporal. Basicamente, é a impressão que você passa de si mesma como pessoa, é o que diz quem você é e para onde vai. Não é preciso nascer bonita para ter estilo. Para mim, o estilo está para a pessoa como a embalagem está para o produto – a sua substância é o seu produto; o estilo é a embalagem. Ambos são igualmente importantes.

É impossível determinar o estilo certo para alguém. Para encontrar o estilo que melhor se adapte ao seu tipo de vida, é preciso experimentar, e isso pode custar caro. Consultores de moda e *personal stylists* não são infalíveis. Você tem de pagar pelas roupas e pelos serviços deles. A solução "faça você mesma" também pode sair cara em termos de tempo, além de poder resultar em um guarda-roupa cheio de enganos.

Estude, leia, observe e experimente mais, para desenvolver o senso artístico, e compre menos. Ter estilo não significa ser uma vítima da moda e seguir as tendências a esmo. Aproveite para se divertir um pouco, mas encontre o seu estilo. Com certeza, ele sempre exerce um papel importante na nossa vida.

Para que o seu estilo trabalhe a seu favor:

Use o estilo como um recurso

Existe um provérbio chinês que diz: *"Os seres humanos dependem das roupas para seu estilo, como a estátua de Buda depende dos ornamentos de ouro para sua glória"*. Essa afirmativa é ainda mais verdadeira para as mulheres do que para os homens. O filme *My Fair Lady* mostra como uma pessoa comum pode se transformar em "princesa", com roupas e maneiras adequadas. A história de Cinderela também confirma o que o estilo faz à mulher.

Não é por acaso que os personagens centrais desses contos populares são mulheres, e não homens. Ainda que o estilo seja importante para um homem, não chega a ter o efeito dramático que tem sobre a mulher. Em condições iguais, o estilo é a arma mais eficaz e dinâmica para a transformação de uma mulher.

Mude de estilo, mude de carreira

Jane Pauley perdeu o lugar de apresentadora de um programa matutino na televisão porque estava envelhecendo. O pessoal da emissora decidiu que queria alguém mais jovem. Anos mais tarde, tendo mudado o penteado e o guarda-roupa e passado por uma transformação completa em matéria de estilo, ganhou um programa só seu, *Dateline*, e voltou à telinha com muito mais sucesso.

Diana Vreeland, uma das figuras mais importantes da moda nos Estados Unidos no século XX, chegou ao cargo de editora de moda do *Harper's Bazaar* porque Carmel Snow, editor chefe, notou seu estilo vibrante quando dançava com o marido no terraço do St. Regis Hotel, de Nova York. Na época, ela era uma dona de casa precisando ganhar dinheiro para complementar o salário do marido. Com o sucesso, chegou a editora chefe da revista *Vogue* e principal responsável pelo sustento da família.

Deixe que o seu estilo fale por você

Arielle Ford é assessora de imprensa, responsável pela publicidade de alguns autores famosos. Certa vez, durante uma palestra, ela disse que, quando um autor aparece na televisão, o que faz seus livros venderem mais não é o que ele fala, mas o fato de o público gostar dele ou não.

Segundo se diz, em uma entrevista para emprego, o entrevistador se decide pela contratação ou não do candidato nos primeiros trinta segundos. O estilo fala antes mesmo que você possa abrir a boca.

Melhore o estilo, aumente o salário

Veja o caso de Madeleine Albright. Conforme sua carreira foi progredindo, ela deve ter contratado uma consultora de estilo para trabalhar a aparência. Depois que se tornou Secretária de Estado do governo Clinton, passou a usar muito mais maquiagem. Lembro-me de quando ela servia como embaixadora dos Estados Unidos junto às Nações Unidas. Uma vez, apanhada pelas câmeras inesperadamente, ela parecia ter acabado de se levantar da cama.

A senadora Hilary Clinton também teve de trabalhar o estilo durante a campanha eleitoral. Seus esforços para melhorar a "embalagem" eram óbvios. Como Primeira Dama, parecia vestir de manhã a primeira roupa em que batia os olhos – qualquer uma. Sua falta de estilo durante os primeiros tempos da administração do marido lhe custaram alguns pontos na aprovação do público, mas estou certa de que vai continuar melhorando até se tornar a primeira mulher presidente dos Estados Unidos.

Nancy Reagan, por outro lado, não tinha nada além de estilo, mas foi aprovada pelo povo. Corriam boatos de que ela era a bruxa má da Casa Branca; que pegava roupas emprestadas de estilistas famosos e, convenientemente, não devolvia. Nenhum desses rumores maliciosos jamais a atingiu, porque ela era agradável de se ver – tinha estilo.

Jacqueline Kennedy Onassis, que tinha substância e estilo de sobra, foi alçada à condição de lenda. Nem seu questionavelmente controvertido casamento com Ari Onassis a afetou.

Enquanto outras pessoas mandavam suas roupas usadas para o Exército da Salvação, a falecida Diana, princesa de Gales, levantou 3.600.000 dólares para uma sociedade de apoio a pacientes de câncer com a venda de seu guarda-roupa antigo. Tudo isso aconteceu porque ela dedicou a vida à criação de um estilo dinâmico. Todo mundo queria uma parte do que era dela. Claro que se trava de uma princesa; mas Fergie, casada com o príncipe Andrew, tinha o mesmo título. Não era só isso, portanto. Nós gostávamos de Diana porque era aquela pessoa que projetava um estilo muito elegante.

Havia uma diferença tão grande de popularidade entre essas duas princesas como a distância entre céu e terra, e não apenas porque uma delas era a esposa do futuro rei. É que Diana era riquíssima em estilo e substância, e a Fergie faltava estilo, embora tenha melhorado muito nos anos seguintes.

Se o movimento vai lhe trazer vantagem,
faça-o.
Se não, fique onde está.
Sun Tzu (12.19)

O estilo pode ser meio místico e difícil de definir, mas sempre rende frutos a quem é inteligente o bastante para possuí-lo e cultivá-lo. A princesa Diana era a imagem da princesa; sua beleza e seu estilo ainda nos encantam, e ficarão marcados para sempre. O ator Ronald Reagan se enquadrava na imagem de presidente; por isso, ganhou o cargo.

É importante criar um estilo que intensifique a postura profissional e aumente o encanto pessoal, assim como o guarda-roupa da atriz pode contribuir para dar importância ao papel que lhe cabe. Não se vista para a sua posição atual; vista-se para o cargo que quer obter. Quando você se parece com uma determinada imagem, é mais provável que consiga a posição. Aproveite o processo de transformação, tornando-se ativamente inovadora em relação às tendências da moda, adaptando as roupas que já tem e criando brilhantemente a sua declaração de estilo pessoal.

> A união ideal entre os sexos vai resultar no maior desenvolvimento da raça.
> ***Susan B. Anthony (reformadora social)***

UTILIZANDO ENERGIAS MASCULINAS E FEMININAS

> *A adoção apropriada da força masculina e da suavidade feminina faz parte do entendimento de como usar di.*
> ***Sun Tzu (11.37)***

Recentemente, em uma grande conferência, eu era a única mulher em um grupo de sete palestrantes. Os outros eram pessoas notáveis, como o ex-presidente Gerald Ford, o Primeiro Ministro britânico John Major, os congressistas Jack Kemp e Bill Bradley, o comentarista político de televisão George Will e o astro do futebol americano Terry Bradshaw.

Durante os 45 minutos que me foram designados, eu disse que o ser humano perfeito é aquele que possui 50% de qualidades masculinas e 50% de qualidades femininas. Para funcionar em um mundo masculino, a mulher precisa de algumas qualidades masculinas – a não ser que seu objetivo seja tornar-se uma Marilyn Monroe, um perfeito *sex symbol.* Do mesmo modo, o homem que adotar qualidades femininas vai ser um patrão, um homem de negócios, um pai, um marido muito melhor.

Precisei de apenas 30 segundos para fazer aquela afirmação e, no entanto, ao fim da conferência, os participantes a destacaram e começaram um acalorado debate sobre o conceito. As mulheres reagiram com alegria e emoção, enquanto, entre os homens, alguns gostaram da idéia, mas outros se ofenderam. Aqueles ofendidos provavelmente eram os mais necessitados de uma boa dose de qualidades femininas!

A boa chefe, trabalhadora, esposa ou mãe tem energias femininas e masculinas em equilíbrio; isso também vale para as

grandes obras de arte. Duzentos anos atrás, o governo francês ofereceu aos Estados Unidos a Estátua da Liberdade, como um símbolo concreto da imensa vitalidade, força e beleza da nova nação. Ninguém pode negar sua beleza e, no entanto, embora ela represente para nós o símbolo da graça feminina, sua face exibe claramente a determinação e a força interior tipicamente masculinas.

O mundo considera o Davi de Michelangelo uma representação da perfeição máxima do homem. No entanto, à proporção que esculpiu a força masculina em cada fibra do corpo de Davi, o artista instalou uma sensibilidade feminina na alma da estátua.

Entre os budistas chineses, uma seita acredita que somente as almas inferiores nascem como mulheres. Ao ouvir minha amiga chinesa dizer, muito séria, que todas as almas inferiores nascem mulheres, senti tal indignação, que tive vontade de atirar meu almoço em cima de todos os ignorantes que acreditam em doutrina tão ridícula.

A maior divindade da tradição budista chinesa, Guan-yin, a Mãe de Misericórdia, é uma mulher. Em muitos museus ou saguões de hotéis de todo o mundo, pode-se ver sua bela imagem esculpida ou pintada. Para explicar por que a Mãe de Misericórdia não seria uma alma inferior, os budistas chineses criaram a ridícula história de que Guan-yin não é mulher.

Eles decidiram que Ela é metade homem e metade mulher. Foi visitando um antigo templo chinês que fiquei sabendo dessa crença.

Quando os humanos querem acreditar, logo inventam uma justificativa. O verdadeiro conceito espiritual, por trás do conceito de que Guan-yin é metade homem e metade mulher, é que ela possui dentro de si o equilíbrio perfeito entre qualidades masculinas e femininas.

A lista

Certa vez, durante um seminário só para mulheres, tive a idéia de pedir ao auditório que enumerasse os vários atributos dominantes em cada um dos sexos.

Com a ajuda das participantes, elaborei uma lista de qualidades positivas e negativas de homens e mulheres. Não esqueça que esta lista NÃO tem base científica e é fruto de uma perspectiva feminina totalmente subjetiva. Você vai perceber com que estado de espírito as mulheres vêem os homens e a si mesmas.

Qualidades negativas dos homens

- Arrogantes
- Ávidos por atenção
- Bajuladores
- Teimosos
- Covardes
- Egoístas
- Exigentes
- Falam muito, agem pouco
- Falam bobagem
- Gabam-se de conquistas sexuais
- Imaturos
- Inconstantes
- Infantis
- Insensíveis
- Intimidadores
- Irresponsáveis
- Machões
- Mal-agradecidos
- Maus comunicadores
- Mentirosos
- Não participam da educação dos filhos
- Nunca crescem
- Paternalistas
- Pensam com a "cabeça de baixo"
- Porcos "chauvinistas"
- Pouco confiáveis
- Pouco realistas
- Preguiçosos
- Só pensam em sexo
- Temperamentais
- Emocionalmente reprimidos
- Vazios

Qualidades positivas dos homens

- Amorosos com as esposas e namoradas
- Analíticos
- Aventureiros
- Avessos a mesquinharias
- Científicos

- Concentrados no trabalho
- Controlam a situação
- Diretos
- Dizem o que pensam
- Dominantes
- Expressam suas opiniões no trabalho
- Fortes fisicamente
- Generosos
- Liberais
- Lógicos
- Não são escravos da moda
- Não se preocupam com estilo e imagem
- Ousados
- Partilham o que sabem
- Perdoam e esquecem
- Pouco emocionais
- Protetores
- Solidários

Qualidades negativas das mulheres

- Ávidas por poder
- Ciumentas
- Deixam-se usar como objetos sexuais
- Desconfiadas
- Egocêntricas
- Egoístas
- Emocionais
- Fingidas
- Fisicamente fracas
- Fofoqueiras
- Fúteis
- Implicantes
- Impressionáveis
- Indecisas
- Inseguras
- Invejosas
- Mal-agradecidas
- Mandonas
- Mesquinhas
- Não dizem o que sentem
- Não se arriscam
- Não vêem o panorama geral
- Perfeccionistas
- Possessivas
- Preconceituosas
- Preocupadas com a opinião alheia
- Submissas
- Teimosas
- Têm complexo de inferioridade
- Tímidas
- TPM
- Vingativas
- Voluntariosas
- Volúveis

Qualidades positivas das mulheres

- Acessíveis
- Analíticas
- Animadas
- Apaixonadas
- Atenciosas
- Calmas
- Compassivas
- Compreensivas
- Concentradas
- Condescendentes
- Criativas
- Dedicadas
- Detalhistas
- Disciplinadas
- Dispostas a aprender
- Empáticas
- Empenhadas
- Espertas
- Flexíveis
- Generosas
- Gentis
- Honestas
- Independentes
- Intuitivas
- Leais
- Maleáveis
- Meticulosas
- Organizadas
- Pacientes
- Pé no chão
- Pensam antes de falar
- Pensam com a cabeça
- Práticas
- Resistentes
- Responsáveis
- Sedutoras
- Sensatas
- Sensíveis
- Sinceras
- Sobreviventes
- Trabalhadoras
- Visionárias
- Voluptuosas

Fraquezas femininas que se manifestam no ambiente profissional

- Avidez pelo poder
- Baixa auto-estima
- Ciúme
- Complacência

- Complexo de inferioridade
- Coração mole demais
- Desconfiança
- Dificuldade em confrontar
- Distribuem favores com parcialidade
- Egocentrismo
- Egoísmo
- Emotividade
- Excesso de empatia
- Excesso de submissão
- Falta de ambição
- Falta de combatividade
- Falta de espírito de aventura
- Família em primeiro lugar
- Fingimento
- Hábito de instigar
- Incapacidade de agradecer
- Incapacidade de ver o panorama geral
- Indecisão
- Insegurança
- Levam tudo para o lado pessoal
- Medo da opinião alheia
- Mesquinharia
- Não enfrentam os homens
- Não partilham o que sabem
- Não sabem lidar com política
- Não se arriscam
- Perfeccionismo
- Possessividade
- Preconceito
- Querem agradar sempre
- Teimosia
- Timidez

Equilibrando qualidades masculinas e femininas

Observando as qualidades positivas e negativas atribuídas a ambos os sexos, encontro algumas contradições e falsas suposições. Na verdade, a lista não se refere a homens e mulheres, mas a qualidades masculinas e femininas. Certas mulheres possuem grande número de qualidades masculinas, enquanto alguns homens são dominados por qualidades femininas.

Pensamos em emoções como amor, insegurança, impotência, dúvida, preocupação, medo, ciúme, inveja e vergonha como tipicamente femininas, mas na verdade homens e mulheres podem senti-las igualmente. As mulheres não têm o direito exclusivo à emoção excessiva.

Em um dos meus seminários, Georgette me perguntou como poderia dispor de mais tempo, já que se considerava constantemente sobrecarregada. Comecei a fazer-lhe perguntas, indo cada vez mais fundo, e acabei descobrindo que o problema considerado por ela como falta de tempo era, na verdade, o medo de ofender, que a fazia aceitar todas as tarefas que os outros lhe passavam.

Na sessão da tarde, Georgette veio com outra pergunta, desta vez sobre uma de suas subordinadas, uma moça holandesa difícil de lidar. A moça agia como se ela, e não Georgette, fosse a chefe do departamento. Depois de trabalharmos um pouco mais, ela percebeu que tanto a falta de tempo como os problemas com a moça holandesa eram resultado de sua personalidade fraca.

A história faz sentido porque Georgette é mulher. Só que, na verdade, Georgette é um nome fictício; a heroína da história é um homem. Viu? Fraqueza de personalidade não é prerrogativa exclusiva das mulheres. Os homens também possuem essa qualidade.

Volte às qualidades positivas e negativas de homens e mulheres, e verifique quais delas se aplicam a você. Se achar que lhe faltam qualidades masculinas, procure mais a companhia de colegas homens e procure incorporar à sua personalidade o que eles têm de bom.

A água encontra seu curso
de acordo com a forma do terreno.
O guerreiro alcança a vitória
pelo planejamento de estratégias
de acordo com as condições
do inimigo que enfrenta.
Assim como a água não tem forma constante,
as operações de guerra não têm regras fixas.
Sun Tzu (6.30)

Um homem se casaria com uma moça bonita, toda feminina – ainda que fosse *realmente* bobinha – mas nunca, jamais, faria dela a diretora da empresa. Se você quer subir na área que escolheu, é bom que tenha qualidades masculinas e femininas em partes iguais. Até que consiga isso, o guarda-roupa ajuda a conseguir uma aparência mais equilibrada. Se você tem a aparência masculina demais, procure escolher cores mais femininas ou vestir uma blusa de tecido macio por baixo do terninho. Se é feminina demais, mude para cores mais sérias. Mas é claro que, se você já é uma pessoa equilibrada, qualquer que seja a sua roupa, sempre representará o retrato da mulher perfeita.

No ambiente profissional, capacidade só não basta. Mulheres capazes existem aos milhares, mas uma mulher determinada, que *demonstre* capacidade de liderança através de um equilíbrio de forças masculinas e femininas, é um diamante raro em meio a uma montanha de cristais.

Sou um corpo de mulher
com um coração de leão.
Elizabeth I, rainha da Inglaterra

Tornando-se poderosa

É preciso ser capaz
da rapidez do vento,
da imobilidade da floresta,
do poder de destruição do fogo
varrendo a planície,
da impenetrabilidade das nuvens densas,
da ação do raio.
Sun Tzu (7.16)

Certa vez, falando em uma conferência para influentes homens de negócios – membros do seleto clube dos ricos e poderosos – tive a oportunidade de oferecer um *workshop* a suas esposas. Devo dizer que nunca encontrei um grupo de mulheres tão tristes e sem esperança. Uma após outra, elas contaram suas histórias. Disseram como só o que importava para a família era o marido e seus negócios – as necessidades deles em primeiro lugar. Nenhuma daquelas mulheres tinha dignidade pessoal. As lágrimas escorriam, não em gotas, mas aos borbotões.

O papel do marido é prover e proteger, mas alguns provêem e abusam. Daí as lágrimas daquelas mulheres. O que elas não percebiam é que a verdadeira origem do sofrimento delas era a ausência de poder interior.

Por falta de prática, as mulheres não se sentem à vontade reclamando o poder. Fomos treinadas a buscar nosso poder nos outros, a pedir licença para sermos poderosas. É tempo de mudar isso. Na verdade, ninguém lhe *dá* poder. Você tem que exigir o que é seu. E somente as mulheres que estão em contato com a própria abundância de poder são capazes de potencializar os outros – empregados, filhos, amigos etc.

A falta de poder pessoal é a causa de todos os problemas de homens e mulheres. Talvez você se ofenda com essa minha afirmação, mas não há maneira mais delicada de dizer; é um fato da vida. Se a sua melhor amiga lhe pede dinheiro emprestado e demora a pagar, o problema não é dela, e sim da sua falta de poder.

A sua amiga vai pagar a quem tiver de pagar, desde que sinta que não pode fugir ao compromisso com o credor. Se você discute com o marido ou namorado porque acha que não é respeitada, o problema não está nele; está em você. As pessoas percebem intuitivamente a sua impotência e falta de respeito próprio, e agem de acordo.

Se, no ambiente profissional, o pessoal age injustamente, procurando sempre levar vantagem sobre você, não vá longe procurar a causa. A causa é você. O mundo abusa de quem se mostra fraco e indeciso, seja homem ou mulher, jovem ou velho, no trabalho ou no pátio do colégio.

Os elementos-chave do poder inerente a cada mulher têm muito pouco a ver com agressividade; o grande segredo está em perceber e adotar a atitude apropriada: "Eu sou a fonte do poder. Eu sou poderosa".

Poder, de acordo com o dicionário, significa: "capacidade de fazer ou agir; capacidade de fazer ou realizar alguma coisa; força; potência; controle ou comando sobre os outros; aquele que possui ou exerce autoridade ou influência". Mas nenhuma dessas explicações capta a essência do poder.

Quando falo de poder sem dar uma definição, todos entendemos que o poder de que falo está dentro de cada um de nós. É uma força real, tangível, que se manifesta por meio de sentimentos e experiência. Sem o poder dentro de nós, como exercê-lo para realizar desejos e influenciar pessoas? Essa clara e inequívoca experiência de poder deve se originar e permanecer dentro de nós. E se o poder está dentro de nós, a pergunta persiste. "Como podemos manifestar este poder?"

Os cinco passos para se tornar uma pessoa poderosa:

1. Descubra onde o poder não está

Quando eliminamos todos os lugares errados para procurar, o que sobra é a fonte de poder puro. Poder não vem do cargo, da conta bancária, da posição, nem do sobrenome. O poder está em você; cabe a você encontrá-lo. Vou contar uma história verdadeira, para deixar as coisas bem claras.

A dra. Narita nasceu no Japão, em "berço de ouro". O pai, pessoa influente nos altos escalões da sociedade japonesa, era politicamente bem posicionado (participara do Ministério) e tinha tino para os negócios. A dra. Narita era uma filha obediente; estudou com afinco e se formou por uma conceituada escola de medicina. Há 25 anos, ela foi para os Estados Unidos fazer o internato. Ótima estudante e profissional dedicada, foi-lhe oferecida uma colocação em uma conhecida clínica criada por um grupo de professores da escola de medicina. Anos mais tarde, tornou-se sócia da clínica. Tudo ia muito bem até seis anos atrás.

Os problemas se anunciaram quando a saúde do pai da dra. Narita, um senhor de 85 anos, começou a falhar. Ela falou ao pai do desejo que tinha de herdar o conglomerado de emissoras de rádio e televisão, fundado por ele no Japão. De início, ele foi contra a idéia, porque a achava muito inexperiente para administrar as finanças e enfrentar as disputas pelo poder, mas não conseguiu resistir aos apelos da filha: convenceu os outros acionistas a darem a ela a oportunidade de administrar a empresa que ele tinha criado.

Em atenção aos desejos do fundador, a diretoria concordou em deixar que a dra. Narita assumisse os negócios. Ela delirou de alegria. Tinha chegado aos 50 anos e estava cansada da rotina da clínica. Vendeu sua parte, pegou a família e voltou para o Japão.

Três anos mais tarde, o pai da dra. Narita já tinha falecido. E ela, aos 53 anos, pela primeira vez na vida, se viu desempregada. O conselho resolvera, por votação em assembléia, afastá-la do cargo devido ao que considerou incapacidade de liderança. Sem outra alternativa, ela aceitou um emprego em um hospital. Eu a encontrei logo depois que assumiu a posição de liderança na empresa do pai. Trazia no dedo um anel de rubi de seis quilates e tinha um motorista que a transportava em um sedã Mercedes Benz de propriedade da empresa em seus deslocamentos pela cidade. Tornei a vê-la recentemente, sem jóias e saindo do metrô. Entre lágrimas, ela confessou: "Perdi o poder".

Olhei para ela e pensei que ali estava uma mulher que não tinha a menor idéia do que fosse poder. Ela fora levada a uma posição poderosa, mas como não tinha poder interior, não conseguiu se sustentar e crescer no cargo. Ela conhecia todas as pessoas influentes do país, e todas elas, em alguma ocasião, tinham se beneficiado do relacionamento com o pai dela. Embora aquelas pessoas quisessem retribuir o benefício, não puderam fazer nada, porque reconheciam sua impotência de espírito.

A dra. Narita está certa. Ela não tem poder. Ela pensa, porém, que é assim porque atualmente trabalha em uma posição nada poderosa. O que ela não sabe é que o poder vem, em primeiro lugar, de dentro; só então, é acompanhado externamente pela posição adequada. Para ela, o poder veio primeiro de fora, e por causa da falta de poder interior, não conseguiu se manter na posição.

Qualquer que seja o seu poder interior, certamente vai se manifestar exteriormente. Ao contrário, quando você está vazia de poder, ainda que receba um reino, vai perdê-lo.

2. *Você não precisa de permissão para tomar o poder*

Muitas mulheres estão em luta, tentando conseguir permissão para assumir posições de poder. Poder não é algo que você fica esperando receber ou aguardando permissão para exercer. Poder é algo de que se toma posse.

Certa vez, fiz uma palestra para mais de mil vendedores da IBM Corporation, em uma região na parte oriental da Ásia. A Ásia é o mais lucrativo mercado de exportação para a IBM. Cada um dos participantes do encontro tinha vendido muitos milhões de dólares para a empresa. Fizeram uma homenagem aos sete melhores vendedores. Conforme os nomes foram sendo chamados, percebi que entre os sete, quem mais vendeu foram cinco mulheres, e três delas estavam grávidas.

Os aplausos foram muitos e todos, inclusive os homens, gostaram de ver aquelas mulheres fortes e vencedoras. O que se vê nesse caso é que as mulheres *são* poderosas e *podem* manifestar seu poder, qualquer que seja sua cultura e nacionalidade. O único requisito necessário é estarem dispostas a ser seguras de si e a exibir seu inato poder interior.

3. *Descubra onde o poder está*

O poder começa com uma experiência ou certeza que sentimos dentro de nós. Onde está ele? No dedão do pé ou no alto da cabeça? O poder é tangível ou intangível? Em geral pensa-se no poder como intangível, mas para quem o possui, ele é tangível e real. Gostaria de ensinar uma experiência de manifestação do poder interior, que vai deixá-la em contato direto com ele. Estabelecendo o contato, você vai conseguir dirigir, manifestar e manipular, conscientement, e o seu poder interior.

- *Feche os olhos.* Focalize a atenção para dentro do corpo, na região do coração. Empurre mentalmente a sua percepção cada vez mais fundo, para o coração. Fique bem quieta. Quando toda a inquietação se acalmar, sinta a sensação de paz que existe ali, como a base do ser.
- *Siga a respiração.* Deixe a mente mergulhar cada vez mais fundo, até o centro do ser. Respire profundamente pelo abdômen. Deixe a mente mergulhar na respiração. Abandone toda intelectualização e deixe desaparecerem todos os conceitos da mente e do coração. Deixe evaporarem os conflitos. Em troca, sinta-se em contato com uma nova dimensão de energia. Essa energia pulsa com vitalidade e certeza, e tem seu próprio senso de direção – é esta a sensação do poder.

Embora esse poder esteja sempre dentro de nós, para a maioria que não está acostumada a utilizar e manifestar o poder em tal extensão, é difícil encontrá-lo quando se faz necessário. Como somos criaturas movidas pelo hábito, precisamos nos acostumar a localizar e utilizar o poder.

4. *Imite a natureza*

O poder que existe dentro de nós também toma forma no universo, como o poder da natureza. Sun Tzu fala de um exército poderoso que se parece com o vento, a floresta, o fogo, a montanha, as nuvens e os raios. Compreendendo como é esse exército poderoso, conseguimos entender como é uma mulher poderosa.

Vento, floresta, fogo, montanha, nuvens e raios são manifestações do poder da natureza. Para ter uma amostra imediata do poder, pense nessas forças e contemple sua essência.

- *O vento e o furacão arrasam tudo o que esteja em seu caminho.* O vento sopra sem hesitação, sem se preocupar com o efeito que possa ter sobre a Terra, seja positivo ou negativo.
- *A floresta é formada de muitas árvores que estão lá há centenas de anos.* Essas árvores já viram seres humanos nascerem e morrerem, batalhas serem vencidas e perdidas, corpos caídos ao chão, retornando ao pó. Enquanto o drama humano se desenrola sem cessar, a floresta continua imóvel, imersa em sua própria alegria de existir.
- *O fogo queima com total liberdade, sem consideração pelas conseqüências impostas aos objetos que estejam em seu caminho.* O fogo não pede permissão para queimar as matas. Ele segue o foco, completamente absorvido pelo próprio objetivo.
- *A montanha é firme e inabalável.* Quando acontecem mudanças, a montanha sólida e imutável observa em silêncio o caos da movimentação em torno dela.
- *As nuvens são densas o bastante para cobrir os mais brilhantes raios de sol.* Na densidade das nuvens, todas as coisas misteriosas se escondem.

- *O raio atinge sem dó nem piedade.* O raio pode ser fonte de energia elétrica ou veículo de destruição, sem qualquer julgamento de valores. Ele está apenas sendo fiel à própria natureza.

  Essas seis forças são impetuosas, específicas e insensíveis. Quando for realizar as suas tarefas, observe as qualidades delas e procure descobrir como imitar-lhes o poder.

5. *Pratique o "Eu sou"*

- *Crie uma imagem mental e concentre-se nela. Diga para si mesma: "Eu sou".* Você tem de administrar a vida conforme a posição em que está, e não a posição que quer alcançar.

> Não faz muito tempo, fui contratada para prestar consultoria a um candidato à presidência de um país da Ásia. Ele entrou na corrida presidencial logo depois de sair derrotado em uma campanha para governador. A lembrança da derrota humilhante fazia com que se esforçasse mais do que nunca.
>
> Pela televisão, via-se claramente que ele tentava ser o novo presidente. Mas ninguém vota em quem tenta; o povo vota em quem parece e age como presidente.
>
> Eu lhe disse que, antes de cada discurso, repetisse o mantra "Eu sou o presidente", até que se tornasse realidade para ele. Aconselhei-o a expressar em todos os instantes da vida a convicção profunda de que já tinha conseguido o cargo de presidente. A partir daí, ficou evidente a incrível diferença em sua atitude pessoal. Ele se tornou presidenciável. Em três semanas, saltou do terceiro lugar para a liderança nas pesquisas. O resultado final foi que ele se tornou presidente do país.

- *Mantendo a sensação do "Eu sou",* tome consciência das sensações físicas. Você se sente mais alta e senta-se ou fica de pé mais ereta? Você levanta um pouco mais a cabeça? Que tipo de mudanças ocorreram na sua expressão facial? Você se sente mais calma e relaxada?

▸ *Depois de entrar em contato com o poder do "Eu sou", comunique a sua mensagem com o tom de voz que achar mais adequado – áspero ou suave.* O que importa não é o tom de voz; nem mesmo as palavras importam; o que importa é o seu espírito no momento da comunicação.

(a) Esse espírito que você põe por trás da voz é direcional, cheio da certeza e do poder do "Eu sou". Quando você quer vender um produto ou serviço, não pode pensar apenas "Vou tentar vender alguma coisa". É preciso trazer no fundo da alma a convicção de que já fez a venda. Assim, quando for falar com o potencial comprador, vai usar uma voz carregada de poder diretivo. E vai ver com que facilidade ele vai se deixar convencer.
(b) Em momento algum, seja falando ou brincando com os colegas ou superiores, perca o senso de "Eu sou".
(c) "Eu sou. Portanto, eu sou". Nós nos tornamos aquilo que dizemos. Essa é uma certeza matemática e vale para tantos níveis, que nem imaginamos. É uma autoprogramação que tanto pode ser positiva, como negativa. Portanto, cuidado com aquilo em que você deixa a sua mente acreditar.

6. *Mantenha o distanciamento e seja determinada*

Quando estamos presos demais às conseqüências, seja a comissão, o emprego ou mesmo os sentimentos alheios, vamos minando a clareza de percepção, e acabamos perdendo o poder. A atriz que faz um teste para um papel precisa se concentrar na parte que lhe cabe. A vendedora tem que se preocupar em oferecer o melhor atendimento ao cliente e não com a comissão que vai receber. A amiga que se preocupa demais com os sentimentos da outra, a ponto de deixar de falar com ela franca e honestamente, presta um desserviço *e* abre mão do poder. É importante se distanciar do resultado, mantendo o foco no bem dos clientes/filhos/amigos.

Houve uma vez, em um seminário, em que fui procurada por uma mocinha muito meiga, que me perguntou: "Como posso cobrar um empréstimo que fiz a uma amiga sem pôr em risco a nossa amizade?"Parece que essa dificuldade em receber de volta dinheiro que foi emprestado a amigos é uma situação comum a muitas pessoas bondosas. O mais surpreendente é que a amiga que tomou o dinheiro da moça recusava-se a pagar conforme o combinado, e ela continuava presa à amizade. O mesmo vale para o namorado, que percebe a sua impotência quando você não consegue viver sem ele. Se você não *tem* que tê-lo em sua vida, ele sente o seu poder – e este é o maior afrodisíaco.

Sinto-me mais poderosa quando meu espírito se desliga dos frutos de minhas ações e dos desejos do mundo, e fico com a mente afiada e voltada para uma direção definida, com propósito e objetivos claros. Quem não consegue viver sem os objetos de seus desejos torna-se impotente e emocionalmente desarmado. Quando você se distancia dos objetos dos seus desejos, descobre que é nesse distanciamento que vive o poder.

Quando você se descobre
apanhada e cercada,
torna-se destemida.
Quando não há saída,
você lança mão da coragem
para resistir.
Quando não há escolha,
você luta com todas as suas forças.
Sun Tzu (11.33)

A primeira coisa que você fez ao nascer foi chorar. Você nasceu natural, livre, perfeita e sem pretensões. Era uma guerreira natural e poderosa. Você nasceu com poder mais que suficiente para vencer os obstáculos da vida.

Em algum momento, perdeu-se aquela feminilidade natural. Com a consciência do poder pessoal, você pode voltar ao que realmente é: uma mulher naturalmente poderosa. Isso é *di*, a paisagem que o Criador nos deu. Use-a bem. Ao reconquistar o que já é, você se torna poderosa em seu próprio potencial.

4 JIANG
LIDERANÇA

A líder deve ser sensata, confiável benevolente, corajosa e rigorosa
Sun Tzu (1.6)

Se o seu filho nunca teve raiva de você, você não é mãe.
Bette Davis (atriz)

BOA MÃE, BOA LÍDER

Daí o ditado: O líder inteligente planeja para o futuro distante. O bom general ajusta a operação cuidadosamente.
Sun Tzu (12.16)

Napoleão disse: "Liderança é tudo". Líder é aquele que decide a batalha, criando grandiosas estratégias de vitória e, então, comandando e motivando as tropas a executar seus planos. Liderança não é cargo; é atitude. Nós, mulheres, raramente nos vemos como líderes – as mães, em especial; nós nos vemos mais como criadas! E, no entanto, a liderança nos é bastante familiar. Toda mulher já assumiu em algum momento o papel de líder.

Talvez você tenha liderado seus irmãos nas brincadeiras de criança; em casa, lidera os filhos; e pode assumir a liderança nos passeios de domingo organizados pela igreja. Apenas, não pensamos nessas situações como liderança, mas como atividades da vida diária. Se queremos fazer do século XXI o Século da Mulher, vamos parar de ficar à espera de que alguém nos lidere ou nos ofereça uma posição de liderança. Precisamos adotar uma atitude de liderança.

A boa líder exerce a liderança

Contei esta história em meu último livro, *Do Less, Achieve More.* Depois de fazer uma palestra em Lima, Peru, decidi visitar Machupichu, onde se encontram pirâmides do povo Inca. Como o Peru é um lugar difícil para os turistas se deslocarem, comprei um pacote de viagem que me garantia o máximo de comodidade.

Quando saltei do trem em Machupichu, deveria encontrar um guia local na plataforma da estação. Mas não havia ninguém me esperando. Fui em direção à saída, seguindo o formigueiro humano. Lá fora, as pessoas se organizavam em uma fila que ziguezagueava entre corrimãos de alumínio. Funcionários compenetrados distribuíam o pessoal pelos ônibus que aguardavam. Na fila, tentei descobrir como chegaria a Machupichu. A resposta foi: "Pegue o ônibus".

Depois da viagem até o alto da montanha por uma estradinha estreita, poeirenta e cheia de curvas, saltei do ônibus e me vi frente à antiga cidade dos Incas. Mas logo descobri estar no lugar errado; deveria ter passado primeiro pelo hotel, que ficava lá embaixo, bem perto da estação do trem. E só então percebi que os outros passageiros não levavam malas – à tarde, voltariam para Cuzco. Não havia como visitar as pirâmides carregando a bagagem.

Eu precisava descer a montanha. Paguei a um morador do local para telefonar ao meu hotel, pedindo que mandassem um carro me buscar. Primeiro, disseram que o carro estava a caminho. Quarenta minutos e vários telefonemas depois, disseram que não havia carro algum, e que eu deveria descer de ônibus.

Apesar de haver quinze ônibus estacionados, nenhum dos motoristas se dispôs a descer, porque só havia cinco passageiros querendo antecipar a volta: eu, meu marido, um australiano e um casal da África do Sul.

Depois de esperar mais uma hora, concluí que estava tudo errado. Levantei de onde estava e fui andando entre as mesas espalhadas pela calçada, onde o pessoal tomava café, e gritando: "Quem quer voltar para a cidade?" Quarenta pessoas se dirigiram para o ônibus. Como a capacidade era de apenas 35, alguns viajaram de pé.

Dava para ver claramente: as coisas só acontecem quando há um líder. O fato de as pessoas não se verem como líderes significa mais oportunidades para você. Quando estiver em uma situação que exija liderança, assuma. A maneira de liderar é simplesmente exercendo a liderança.

Liderança é um estado de espírito

A liderança está no espírito do indivíduo, e não no cargo. Liderança não é força, mas firmeza e orientação; não é comportamento, é foco. Podemos ser líderes gentis em casa e liderar com mão firme no trabalho. Não há conflito algum nisso.

Quem tiver empatia e compreensão, for confiável e der orientação será uma boa líder, seja em casa ou no trabalho. Quem não consegue controlar os filhos é um verdadeiro capacho, não tem como liderar com eficiência no ambiente profissional, ainda que possua sobre a mesa uma placa com a palavra "Líder" gravada nela.

É ridículo pensar que um gatinho vai se transformar em tigre no caminho entre a casa e o escritório. Se o seu tipo de trabalho exige a força de um tigre, seja um; se em casa é preciso a gentileza de um gatinho, seja um. O tigre e o gatinho podem ser líderes eficientes. É tudo uma questão de estado de espírito.

Boas mães e boas líderes têm cinco importantes qualidades em comum:

1. Sabedoria

No trabalho, a líder deve ser sábia em sua visão e dotada de competência técnica para manifestá-la. Em outras palavras: ela deve ser boa no que faz, para gerar lucros e satisfação para os empregados e a empresa.

Do mesmo modo, a mãe deve ser sábia, para orientar os filhos e apoiar o marido em tempos difíceis. Ela precisa cumprir todas as tarefas diárias de administração da casa e atender às necessidades da família, além de planejar o futuro dos filhos e colocar esses planos em ação. Sabedoria, direção, visão, orientação e habilidade fazem parte tanto do perfil da mãe como do perfil da líder.

2. Confiabilidade

Chegamos a este mundo com total confiança, mas, com os embates da vida, aprendemos a desconfiar. Ao ingressarmos no mercado de trabalho, já fizemos da desconfiança um modo de vida. É por isso que o líder precisa *conquistar* a confiança de seu pessoal: para que não haja dúvida sobre sua capacidade de liderar a empresa na direção de um futuro próspero. De outro modo, os empregados, em vez de se concentrarem em suas tarefas, usariam as horas de trabalho para entrar em contato com *head-hunters*, em busca de outra colocação.

E mais: se o líder não tiver a confiança de chefes, investidores e acionistas, não vai conseguir atuar livremente para manifestar sua visão. Os superiores vão interferir e tentar controlá-lo. E caso entregue um produto inferior ou o acompanhamento após a venda seja deficiente, provocando a desconfiança do cliente, vai prejudicar a credibilidade própria e a da empresa, o que resultará em queda no faturamento.

O líder deve também se perguntar: tenho confiança nos empregados, parceiros e investidores?

Eles merecem minha confiança? Se a resposta for "não", você tem um problema sério. Pergunte a si mesma: como reverter a situação? As várias quebras de confiança podem ser abordadas e resolvidas?

O mesmo vale para a mãe. Sem a confiança dos filhos, de que servem sua sabedoria e orientação? Os filhos vão afastá-la mentalmente, e ela não vai entender nada do que está acontecendo com eles. Quando adolescentes ficam grávidas e fazem abortos às escondidas, ou usam drogas, é sinal de que não confiam nos pais o bastante para dividir o sofrimento com eles. Sem confiança, não há comunicação. Nem entendimento.

Sem o benefício da experiência das mães, nossos filhos ficam como que confusos na escuridão, tentando entender a complexidade do mundo. Tudo por causa da falta de confiança. Assim como o líder da empresa precisa conquistar a confiança da equipe, dos clientes etc., a mãe não deve partir do princípio de que os filhos confiam nela. É preciso investigar e, caso a confiança tenha sido rompida, trabalhar para recuperá-la.

3. *Benevolência*

Benevolência não é servir de capacho; é irradiar energia pessoal e capacidade de aceitar opiniões diferentes. É uma qualidade que vem da força e da segurança interior. O líder benevolente conquista o amor e o apoio de colegas e parceiros. O líder benevolente não se sente ameaçado ao ouvir críticas. Ao contrário. Ele agradece à equipe pela coragem de expressar honesta e diretamente suas opiniões. O líder benevolente infunde na equipe de gerenciamento e nos empregados o senso de igualdade: as tarefas podem variar, mas a dignidade humana básica e as oportunidades são as mesmas. As pessoas se sentem bem trabalhando para ele.

O mesmo se aplica à mãe benevolente. Ela aceita e compreende os pontos de vista dos filhos. A mãe que impõe valores e regras aos filhos torna-se abusiva, nociva. Benevolência de mãe não é como o *slogan* repetido pela Gestapo: "É para o seu próprio bem". A mãe benevolente procura aceitar até os comportamentos que considera difíceis de entender. Somente por meio da benevolência é possível esperar que os seus filhos confiem em você e sejam receptivos à sua orientação.

4. Coragem

O líder capaz pensa para a frente. Se não for assim, seu trabalho logo estará ultrapassado e obsoleto. No entanto, pensar e agir além exige coragem. E significa mudança. Quando você faz mudanças, encontra riscos e incertezas. No mundo dos negócios, quando se tem ousadia suficiente para fazer mudanças drásticas, enfrenta-se até a possibilidade do caos, que pode significar uma queda nos rendimentos no curto prazo.

Para mudar a maneira de atuar, com vistas ao crescimento futuro, é preciso dedicar esforço extra a fim de garantir os resultados já existentes. Esse tipo de atitude exige coragem. Se houver um revés temporário, vai ser preciso enfrentar as acusações de superiores e investidores.

A coragem é indispensável ao líder, mas não tente nenhuma medida drástica, a não ser que tenha competência técnica na área e possa responder afirmativamente às seguintes perguntas:

- Tenho capacidade de agir com firmeza?
- Tenho disposição para levar adiante as tarefas necessárias?
- Estou disposta a assumir riscos calculados?
- Tenho sangue-frio para lidar com insucessos temporários, mas imprevisíveis?
- Possuo uma força inabalável?
- Consigo suportar a humilhação?
- Consigo resistir a tempos difíceis?

Seja ela usada para atingir metas pessoais ou os objetivos da empresa, a força da mente é vital para o sucesso da mulher trabalhadora. Quem não é capaz de lidar com insucessos não deve nem entrar na batalha da vida e do campo profissional, assumindo um papel de liderança.

Joanne, diretora de uma empresa razoavelmente grande, foi ré em um processo movido pelo estado da Califórnia, por causa de uma decisão que tomou. Ela saiu vencedora no caso, mas a ação se arrastou por oito anos de luta. O incidente não a destruiu; pelo contrário: tornou-a ainda mais forte, enquanto sua empresa crescia e prosperava.

Durante um seminário, ela me contou: "Fiquei profundamente tocada quando ouvi você dizer que '*Mesmo o mais bravo guerreiro transpira de medo no campo de batalha. No entanto, enquanto a mente e o corpo temem, o espírito é destemido. Ele consegue se afastar do medo que toma corpo e mente e se apegar ao destemor do espírito.*' Foi exatamente o que aconteceu comigo". A líder corajosa não está livre do medo; o que acontece é que, apesar do medo, ela enfrenta o desafio e faz o que precisa ser feito.

Com a mãe, não é diferente. Ela precisa de muita coragem para confiar nos filhos. É preciso muita coragem para encarar as conseqüências de suas grandes e pequenas travessuras. Quando os filhos não contam aos pais o que fizeram de errado, é porque sabem que teriam de enfrentar o medo da mãe – medo de mais problemas em uma vida já atribulada. E esse medo resvala com facilidade para a acusação, a raiva e a violência. Apesar do amor que a mãe sente pelos filhos, sem a coragem de enfrentar os problemas que eles podem provocar na vida, ela não consegue ser realmente benevolente. É a coragem que gera a confiança, a benevolência e a sabedoria. A coragem permite conquistar o respeito dos filhos.

5. *Rigor*

No campo de batalha, o bom comandante estabelece padrões rígidos para o desempenho, com relação a recompensas e repreensões. Se o padrão é claro e aplicado à risca, as pessoas cumprem suas obrigações; se não é, transforma-se em fonte de insatisfação. O líder rigoroso não distribui recompensas imerecidas, de acordo com suas preferências pessoais. O rigor não se aplica somente à equipe, mas também ao relacionamento com chefes, parceiros e até mesmo clientes.

Um amigo meu era dono de uma pequena loja de informática. Ele e seus sócios, por não terem deixado bem claro para os clientes quais eram as "regras do jogo", permitiram que alguns dos mais importantes fizessem sucessivas alterações no projeto de um *software*, o que não era bom para nenhuma das duas partes. Como resultado, os clientes ficaram tão insatisfeitos e criou-se uma situação tão desastrosa que eles tiveram de se afastar do negócio. Se tivessem usado de mais rigor, insistindo em cumprir o contrato ou fazendo com que pagassem pelas alterações, provavelmente evitariam o fiasco.

Isso também se aplica à boa mãe. Ao mesmo tempo em que é rigorosa com os filhos, ela é ainda mais rigorosa consigo mesma. Ninguém pode esperar ter filhos disciplinados e agindo de acordo com altos padrões morais, se não for uma pessoa disciplinada. À primeira vista, o rigor pode parecer conflitante com a tolerância e a benevolência, mas não é. O excesso de rigor, sem compaixão, gera rebeldia. O excesso de benevolência gera crianças mimadas, impossíveis de controlar. A boa mãe, assim como a boa líder de uma empresa, equilibra forças paradoxais: benevolência com rigor, sabedoria com ignorância, coragem com medo, esforço com relaxamento.

Quando há perturbação freqüente no acampamento,
é sinal da falta de uma autoridade forte.
Quando flâmulas e bandeiras se agitam,
é sinal de atividades rebeldes.
Quando os oficiais se aborrecem com facilidade,
é sinal de que estão cansados.
Sun Tzu (9.31)

O líder superior é aquele que engloba um espectro de realidades. O bom líder, em seu ambiente de trabalho, planeja estratégias, transforma cada estratégia em tarefas, distribui o trabalho, supervisiona a execução e finalmente verifica os resultados. A seguir,

procura detectar áreas problemáticas, alterando as estratégias para uma execução mais eficaz no futuro.

É o mesmo que a boa mãe faz em casa. Ao cuidar do planejamento financeiro da educação dos filhos, por exemplo, ela enxerga o panorama geral do futuro da família e divide essa visão em etapas executáveis. Pode entrevistar consultores financeiros ou visitar *websites,* até escolher o programa de investimento mais adequado. Depois de analisar o desempenho de seus investimentos e fazer ajustes na estratégia, ela reexecuta o plano. E quando os filhos forem para a Universidade, ela terá os recursos para pagar seus estudos.

Uma líder exerce a liderança. Ainda que nunca tenha ocupado posição de liderança na sua vida profissional, comece a se ver como líder experiente. Assuma a liderança em atividades profissionais e sociais, para demonstrar como é capaz de brilhar como líder. Lidere com sabedoria, cultive a confiança, exerça a benevolência, incorpore a coragem e não tenha medo de ser severa. Essa é a imagem de *jiang* que Sun Tzu imaginou.

> Aqueles que querem realmente ser o que tiverem de ser na opinião do mundo, publicamente, seja oportuno ou não, confessam suas simpatias por idéias impopulares e seus defensores, e depois agüentam as conseqüências.
> ***Susan B. Anthony (reformadora social)***

Somente quem se conhece consegue liderar

> *Não conhecendo o oponente,*
> *mas conhecendo-se a si mesmo,*
> *as chances de vitória são meio a meio.*
> *Não conhecendo o oponente nem a si mesmo,*
> *cem batalhas serão cem derrotas.*
> ***Sun Tzu (3.23)***

O grau de conhecimento que você tem do universo onde vive é proporcional ao conhecimento que tem de si mesma. O bom executivo sabe o que é melhor para seu pessoal. O ótimo vendedor adivinha as necessidades do cliente. A mãe compreensiva sente quando alguma coisa está errada com os filhos. A esposa atenciosa percebe se o marido teve um bom ou mau dia no trabalho. Você não pode ficar sempre esperando que os outros lhe digam o que querem que faça, já que muitas vezes eles não sabem ou não podem dizer a verdade, porque não percebem os próprios sentimentos.

Em Mateus 13:13, Jesus Cristo falava de como nos conhecemos pouco: "... porque, vendo, não vêem; e ouvindo, não ouvem; nem entendem". Sócrates, o maior dos antigos filósofos gregos, também ensinava, como conceito principal: "Conhece-te a ti mesmo". Sun Tzu e todos os grandes mestres apontavam essa idéia como a base da busca humana pela excelência.

"Conhecer a si mesmo", nem é preciso dizer, é mais fácil falar do que fazer. Não fosse assim, o autoconhecimento seria comum, deixando de ser elemento decisivo para uma centena de vitórias.

Em frente ao museu Sun Tzu, em sua cidade natal, na China, existe uma magnífica estátua de pedra, com a inscrição: *"Conheça a si mesmo, conheça os outros; cem batalhas, cem vitórias".* Conhecer a si mesmo e ao oponente é a essência da **Arte da Guerra,** de Sun Tzu. Não foi por acaso que Sun Tzu disse "conheça a si mesmo" antes de "conheça seus oponentes". A boa execução de tudo que aprendemos até aqui e do que vamos aprender nos próximos capítulos depende do seu grau de autoconhecimento.

Enquanto você não se conhecer, não adianta querer entender o que se passa em volta. Só pense em liderar os outros, depois de aprender a liderar a si mesma. E só vai ser possível se liderar depois de se conhecer.

O que é preciso para você se conhecer:

1. É preciso ter um forte desejo de se conhecer

A maioria das pessoas só vê necessidade de uma auto-análise depois que algum acontecimento terrível lhes provoca profunda agonia mental. A finalidade dessas lições tão penosas é fazer você acordar. Depois de passar pelo estágio das acusações, se tiver sorte, você vai começar a enxergar a necessidade de uma exploração do seu interior. E vai perceber que tem a chave que revelará o motivo pelo qual as coisas não vão bem.

Maryann se esforçava para perder peso e ficar em forma. Foi para um *spa*, onde fazia exercícios e alimentava-se corretamente. Depois de seguir o programa por três ou quatro dias, começou a se sentir um pouquinho melhor. Foi o bastante para interromper os exercícios e ir até a cidade comer tudo o que quis. Ela insistia em dizer que desejava uma vida melhor, mas a verdade é que possuía uma zona de conforto, um estado em que se sentia bem, que era exatamente o "desconforto".

A energia de se sentir bem a deixava desconfortável. Sentindo-se mal, ficava bem. Maryann precisa querer realmente, e não da boca para fora, sentir-se saudável e em forma. Enquanto ela, ao estar mal, se sentir bem na zona de conforto que lhe é tão familiar, vai continuar sem entender por que nunca atinge suas metas. Somente no dia em que não suportar mais se sentir mal, ela vai ter vontade de descobrir o jogo que faz secretamente consigo mesma.

2. *Seja a sua própria psicanalista*

As pessoas pagam fortunas aos psicanalistas em troca do privilégio de saber mais sobre si mesmas. Se você não tem tempo ou dinheiro para queimar no divã do analista, seja a sua vigia. Afinal, o cliente paga a um profissional para que o faça descobrir os próprios mistérios.

Somente quando começou a agir como detetive investigando a si mesma, Maryann descobriu que havia um padrão. A culpa não era de Joe, que a convidava para jantar, nem de Abby, que a chamava para ir ao cinema, fazendo-a perder a aula de dança. A causa principal de sua atitude autodestrutiva era seu padrão de sentir-se bem sentindo-se mal.

Qualquer um que trabalhe com vendas sabe que há certos dias em que parece estar viajando no tapete mágico: tudo que toca vira ouro. Em compensação, há outros dias em que nada dá certo. Quando isso acontecer com você, analise o que causou os altos e baixos. Sem saber os motivos do que fazemos ou sentimos, não temos como recriar os dias positivos.

Se você é vendedora, ser a vigia de si mesma significa notar que a ansiedade em fechar um negócio às vezes a leva a pressionar demais na apresentação do produto. Na próxima vez, convença-se de que não precisa fazer a venda; basta mostrar ao cliente potencial que o produto é adequado. Contenha a ansiedade. Se achar que se conteve demais, a ponto de ficar sem graça, tente ser mais assertiva. Com o tempo, você vai encontrar o tom perfeito para as suas vendas.

Ser a própria psiquiatra significa reparar que certas pessoas ou certos tons de voz fazem você se retrair, e observar como é afetada por esse sentimento de intimidação. Quando o sentimento se repetir, contenha-se antes de reagir automaticamente, dizendo ou fazendo coisas de que possa se arrepender mais tarde.

Em vez disso, acenda na mente um sinal de "pare". Respire fundo, estique o pescoço, amplie o peito, endireite-se, fique física e mentalmente mais alta. E depois, decida se vai responder ao intimidador ou ficar calada, observando o poder da sua postura corporal e da calma da sua respiração.

Se você constantemente faz coisas que traem os seus interesses, precisa descobrir por que segue esse fluxo negativo. A quem está tentando agradar? Quais são as possíveis causas psicológicas ou acontecimentos do passado que poderiam estar associados a esse comportamento repetitivo? Se, quando criança, lhe disseram para ser sempre boazinha com todo mundo, talvez esteja traindo os seus interesses para agradar aos outros.

Enquanto o corpo age, a mente precisa ser um detetive em constante observação. Quando você se observa durante bastante tempo, a sua natureza oculta se revela. Para se observar melhor, tome nota das suas idéias ou faça desenhos que descrevam as suas experiências. Destaque da mente as informações; vendo-as no papel, fica mais fácil perceber como os pensamentos levam aos comportamentos.

3. *Instale algumas placas de "pare" entre a boca e o cérebro*

Talvez você tenha uma "via expressa" entre o cérebro e a boca; instale algumas placas de "pare". Quando estiver falando, vá editando continuamente os pensamentos. Às vezes, o hábito de responder automaticamente resiste, mas com a repetição das correções, acabará desaparecendo.

4. *Veja-se através dos olhos de outra pessoa.*

Em geral, outras pessoas nos vêem melhor que nós mesmos. Procure alguém que a conheça muito bem e se interesse pelo seu sucesso e peça-lhe que descreva como vê você. Mas quando procurar alguém para servir de espelho, cuidado: se o espelho estiver distorcido, o reflexo será pouco confiável.

Denise era diretora de empresa. Quando se divorciou de Roger, seu primeiro marido, também diretor de empresa, disse que foi porque trabalhava o dia todo e não queria chegar em casa à noite e continuar falando de trabalho. Mais tarde, quando se divorciou de John, o poeta, seu segundo marido, explicou que precisava trabalhar até tarde, e ele preferia que ela chegasse em casa cedo para cuidar do relacionamento. Denise não gostou de estar casada com um executivo nem com um homem caseiro. Ela pode ser muito boa em ganhar dinheiro para a empresa ou para si mesma, mas se sente completamente perdida quando se trata de escolher um novo companheiro. Depois de dois divórcios, somente agora começou a descobrir que não tem a menor idéia acerca do que quer de um marido – ou mesmo se quer um. Quando a amiga Jan lhe apontou isso, Denise gritou: "Não acredito! Uma coisa tão óbvia, e eu não vi! Será que é minha mente que não me deixa ver ou eu é que sou tola?" É bom ter uma amiga solidária que aja como espelho e reflita você.

5. *Mergulhe em si mesma*

Existe um lugar, bem lá no fundo de você, onde, se der um mergulho, conseguirá se ver claramente. Dentro de cada um de nós há um estado primal de autoconhecimento. Esse estado de saber natural pode ser uma ferramenta altamente eficaz, quando aplicada à vida diária.

Sempre que você procura se entender com base apenas em atitudes, a história não se revela por inteiro. O resultado é muito mais satisfatório quando incorpora a visão interior a um trabalho de detetive das atitudes externas.

Certa vez, eu passava férias na Flórida e, de repente, fiquei furiosa ao ver meu marido salpicar pimenta sobre a pizza. A raiva era tanta, que me retirei do restaurante. O tempo todo, eu sabia que não era só por causa da comida; eu nem estava com fome! Precisava descobrir o que me incomodava. Então, sentei-me em um banco do lado de fora, e fiquei pensando, sob o céu estrelado. Uma hora mais tarde, achei a resposta.

Eu vinha preparando um projeto que todos me incentivavam a levar adiante, além das evidências de que deveria fazê-lo. Minha mente procurava raciocinar, apontando o mesmo caminho. Naquela noite, sentada naquele banco, me veio a certeza, sem conexão com qualquer fato da realidade, de que no fundo eu sabia que não devia pôr em prática o projeto. Seria um erro. A insistência do pessoal à minha volta e meu esforço para só ver o que queria, e não o que realmente se passava, me impediram de perceber que o projeto não era realizável. Quando aceitei a orientação que vinha de dentro de mim, toda a fúria desapareceu. Só ficaram a paz e a certeza.

Procure observar as suas ações através da sua visão interior. A visão interior oferece um panorama do seu ser e também a consciência de coisas que você não sabia que sabia. A meditação é o caminho mais rápido para chegar ao centro do ser, onde vivem a paz, o autoconhecimento e a intuição.

6. *Ensaio e erro*

Conhecer a si mesmo é tarefa para a vida toda, daí sua vital importância. O seu conhecimento do mundo em que vive é diretamente proporcional ao seu autoconhecimento. Ensaio e erro são ingredientes essenciais ao processo de autoconhecimento; mas só têm valor quando você descobre a causa dos erros e faz as correções necessárias.

Não faz muito tempo, eu estava passeando ao acaso pelos canais de televisão a cabo, e encontrei um filme espanhol estrelado pelo que parecia uma versão robusta de Sharon Stone. Continuei mudando de canal, dando uma olhada em outros programas, até que, uma hora mais tarde, passei novamente pelo tal filme espanhol exatamente no final, quando passavam os créditos. E lá estava o nome da atriz: Sharon Stone. Era difícil de acreditar. Fui até a locadora e aluguei a fita, *Sangue e Areia*.

O filme era do período de transição entre a Sharon Stone que recebia cachês modestos e a versão final, que conhecemos em *Instinto Selvagem*. Durante décadas, Sharon se esforçou por descobrir quem era realmente. Quando finalmente se descobriu, foi descoberta pelo mundo.

Diz-se
que quando você tem total conhecimento
de si e do oponente,
a vitória está assegurada.
Com um profundo conhecimento
do tempo do céu
e das condições da terra,
a vitória será completa.
Sun Tzu (10.26)

Enquanto você estiver praticando o exercício de autoconhecimento e auto-aperfeiçoamento, ninguém perceberá a diferença. Só você sabe que é diferente, que não faz um trabalho só por fazer. Você está no caminho do autoconhecimento e do auto-aperfeiçoamento contínuos, exercendo e melhorando o poder, de modo a se enquadrar no que se pode chamar de *jiang* excepcional – líder.

> Ainda vivemos em um mundo no qual uma parcela significativa de pessoas, inclusive mulheres, acredita que a mulher pertence e quer pertencer exclusivamente ao lar.
> ***Rosalyn Sussman (ganhadora do prêmio Nobel de Medicina)***

DECIFRANDO O CARÁTER DO OUTRO

> *O estado de espírito de um comandante pode ser alterado pela manipulação dos inimigos.*
> **Sun Tzu (7.24)**

As pessoas estão cada vez mais espertas, não tanto por aumentarem a sabedoria, mas por aprenderem a esconder seu verdadeiro caráter. Com isso, é cada vez mais difícil perceber o verdadeiro caráter e a verdadeira natureza de cada um. E, no entanto, a capacidade de "ler" as pessoas é essencial ao bom líder. É perfeitamente possível que o profissional gentil, que faz um trabalho genial, chegue em casa e se comporte como um marido – ou mulher – violento. E a pessoa brava e agressiva em circunstâncias normais pode sentir-se perdida durante uma crise. Outras, aparentemente doces e atenciosas, são na verdade desleais e dissimuladas. E outras, ainda, demonstram competência, mas não conseguem produzir resultados.

Reuni alguns preceitos da arte da guerra que oferecem boas idéias para a compreensão do caráter de chefes, clientes, concorrentes e empregados.

Como decifrar o caráter alheio:

- *Converse com ele (ou ela), para que sua verdadeira natureza e filosofia de vida se revelem.*

  Recebi uma carta de um leitor australiano que me convidava a visitá-lo, avaliar seu curso de treinamento e, quem sabe, tornar-me sua sócia. Embora não estivesse certa quanto à oportunidade do negócio proposto, achei que verificar não faria mal, além de que seria bom trocar o frio do inverno nos Estados Unidos pelo calor do verão na Austrália. Comprei duas passagens aéreas, e parti, com a idéia de que, se não gostasse do curso, pelo menos teria belas férias com meu marido.

  Logo no primeiro dia, notei muitas falhas no modo de ensinar e no caráter do rapaz. Dava para perceber que ele se considerava maior que Cristo, Buda e Mahatma Gandhi. E o pior: ele havia treinado os filhos e alguns seguidores a responder obedientemente, como robôs (embora eles provavelmente não se sentissem assim). Para mim, ele se parecia mais com Adolf Hitler, fazendo os seguidores usarem a violência verbal como tática de controle.

Conversei com ele durante o dia. Ele começou a evitar as questões que levantei, ficou furioso e se mostrou intolerante com quem quer que ousasse questioná-lo (eu). Ali, bem na minha frente, o lobo se mostrou por baixo da pele de cordeiro. Embora ele afirmasse ter a fórmula da criação de um ambiente perfeito para os seres humanos, quando alguém ousou discutir suas idéias, mostrou-se intolerante, hipócrita e egoísta, o verdadeiro dono da verdade. Deixei o curso no dia seguinte (a previsão era de três semanas), rumo às férias de verão com meu marido na Austrália.

- *Desafie verbalmente a pessoa que quer observar, para ver que mudanças acontecem no estado interior dela.*

  Tenha cuidado, porém, e seja gentil. Se estiver querendo conhecer melhor o chefe ou um cliente, você não vai querer fazê-lo sentir raiva por ter o ego ferido.

- *Discuta estratégias operacionais, para checar se a pessoa conhece o próprio ofício.*

  Se ela não tiver um bom conhecimento do trabalho que faz, o departamento pelo qual responde pode vir a ser eliminado ou reduzido por causa do fraco desempenho. Se é lá que você trabalha, é bom estar preparada, para planejar uma mudança de departamento ou de emprego.

- *Informe essa pessoa das dificuldades e problemas que estão por vir, para avaliar sua coragem diante dos desafios.*

  Se ela não for capaz de suportar a pressão, é melhor saber disso mais cedo do que tarde.

- *Em uma festa em que sirvam bebida alcoólica, observe a verdadeira natureza dessa pessoa, depois que ela baixar a guarda.*

  Você vai ver que algumas pessoas, normalmente muito reservadas, depois de uns goles de bebida, tornam-se engraçadas e divertidas, enquanto outras ficam desagradáveis e violentas.

- *Deixe que lide com dinheiro, para testar sua integridade.*
  Jenny teve um ajudante que ela pensou em despedir logo na primeira semana de trabalho, ao verificar sua tendência a pegar o que não lhe pertencia. Questionado, ele pareceu sinceramente arrependido, disse que tudo não passava de um grande engano e foi perdoado. Tudo bem que Jenny o perdoasse, mas deveria tê-lo despedido. Em vez disso, deixou que ficasse por dois anos e meio, período em que ele fez um verdadeiro estrago.

- *Dê tarefas e, então, descubra se a pessoa tem competência.*
  As pessoas estão ficando muito "espertinhas"; em vez de trabalhar, aprendem a arte de enganar.

- *Em tempos difíceis, observe a quem essa pessoa recorre.*
  Quando as coisas vão mal na vida, recorremos a quem nos é mais familiar e com quem nos sentimos mais à vontade. Veja quem são essas pessoas.

- *Em tempos de prosperidade, observe quem recebe seus favores.*
  Quando está em boa situação, ela faz doações para impressionar e receber elogios, ou porque tem bondade no coração?

- *Quando ela ocupar altos cargos, observe a quem contrata.*
  Essa pessoa emprega funcionários capazes ou prefere aqueles cujas ligações podem favorecer seus interesses pessoais?

- *Em tempos difíceis, ela age de maneira antiética?*

- *Em tempos de pobreza, ela cede ao suborno?*

- *Observe sua firmeza frente às tentações do sexo.*

O bom líder não é:

- Ganancioso.
- Invejoso da competência e capacidade alheias.
- Facilmente influenciável por mexericos, opiniões e elogios.
- Preocupado em conhecer os outros, deixando de lado o autoconhecimento.
- Indeciso.
- Escravo dos prazeres dos sentidos.
- Maldoso e covarde.
- Evasivo e dissimulado, falando "da boca para fora", sem sinceridade. (Às vezes, o disfarce é tão bom, que você se engana.)
- Incompetente, mas cheio de si.
- Precipitado.
- Dado à inércia e à preguiça.
- Medroso.
- Competente, mas sem força para pôr as idéias em prática.
- Cruel.
- Desprovido de carisma.
- Avesso a obras de caridade para os necessitados.
- Incapaz de projetar resultados futuros.
- Incapaz de evitar o vazamento de informações secretas.
- Incapaz de recomendar promoções para quem merece.
- Incapaz de assumir a responsabilidade pelo que sair errado.

O grande líder é capaz de:

- Reconhecer a situação do oponente.
- Reconhecer os métodos que deve empregar na hora de agir ou de se recolher.
- Saber das limitações de seus recursos.
- Reconhecer a oportunidade favorável à ação.
- Reconhecer elementos geográficos naturais e compreender as vantagens e desvantagens inerentes a cada situação.

- Demonstrar originalidade no planejamento estratégico e surpreender os concorrentes.
- Manter seus planos em segredo.
- Criar harmonia entre seu pessoal.
- Gerar objetivos comuns entre seu pessoal.
- Motivar.
- Demonstrar uma atitude de benevolência em relação aos empregados.
- Ser receptivo.
- Ser diligente na execução de tarefas.

Cinco fórmulas para motivar o seu pessoal:

- Assegure aos empregados cargos de prestígio e salários generosos. Assim, estará atraindo talentos extraordinários.
- Trate os empregados com respeito e confie na capacidade deles.
- Estabeleça claramente os padrões de expectativa quanto ao desempenho e recompense ou repreenda conforme os resultados.
- Estabeleça padrões de desempenho que sirvam de inspiração.
- Repare em todas as "pequenas coisas boas" que os empregados fizerem, e elogie. Reconheça um desempenho muito bom, distribuindo bônus ou promoções.

Esses preceitos foram escritos há milhares de anos, mas continuam atuais.

Trabalhar para o chefe errado ou com uma equipe de má qualidade pode prejudicar os seus objetivos na carreira. Quanto mais cedo você reconhecer isso, menores as perdas financeiras e o estresse emocional. Quem já sentiu na pele sabe o quanto essas fórmulas são valiosas quando postas em prática.

Ao ler este capítulo, o líder que tem facilidade de adaptação (*jiang*) leva os princípios a sério e faz uma análise comparativa das atitudes de seu chefe, sua equipe e seus clientes. A capacidade de decifrar o caráter humano é o elemento básico de um líder magistral – um *jiang* competente.

5 FA
ADMINISTRAÇÃO

Organização e eficácia na execução
significam competência
na administração de pessoas e questões;
daí resulta a maximização
de todos os recursos disponíveis
Sun Tzu (1.7)

Nunca duvide de que um grupo pequeno de cidadãos dedicados e comprometidos seja capaz de mudar o mundo.
Na verdade, só eles conseguiriam.
Margaret Mead (antropóloga)

QUE VENHA O $

> *Aquele que tem habilidade em operações de guerra...*
> *não depende por mais de três dias*
> *do suprimento de comida*
> *transportado de sua distante terra natal.*
> ***Sun Tzu (2.6)***

A igualdade profissional não pode ser exigida por uma perspectiva de gênero: "Sou mulher, e exijo receber o mesmo tratamento". Seja homem ou mulher, se for capaz de gerar lucro, será tratado como uma jóia valiosa. Nesta seção, Sun Tzu apresenta uma estratégia eficaz em matéria de custos e orientada para os resultados, de modo que as tropas se sustentem no campo de batalha com o mínimo gasto para o máximo retorno. Qualquer que seja a sua posição, uma das estratégias seguintes vai falar diretamente a você.

O $ vai continuar a entrar para você e para a empresa, desde que:

▸ *Seja praticada a política de "coma o que caçar"*

O equipamento militar
será fornecido pelo país natal da tropa,
mas a comida será tomada aos armazéns do inimigo.
Quando as provisões das tropas
precisam ser transportadas de local distante,
o tesouro nacional se esgota,
levando privação ao povo.
Sun Tzu (2.7)

"Coma o que caçar" é o segredo da operação de qualquer corporação ou projeto empresarial. Em termos modernos de vendas ou *marketing*: crie resultados.

A empresa na qual você trabalha deve oferecer todo o treinamento e todas as ferramentas necessárias para que você vença a guerra pela participação no mercado. Uma vendedora pode receber salário, mas não pode tornar-se um fardo nos ombros da empresa onde trabalha.

Tal como a leoa, você deve levar a caça rapidamente, para alimentar a si mesma e aos outros empregados; senão, gente improdutiva vai esgotar os recursos, causando sofrimento aos donos da empresa e aos investidores. Lembre-se disso e será sempre um elemento valioso onde quer que vá, faça o que fizer.

▸ *Recompense os resultados*

Para motivar as tropas
a capturar as provisões inimigas,
você precisa recompensá-las.
Durante a batalha dos carros de guerra,
quem consegue primeiro capturar dez cocheiros
é homenageado e altamente recompensado,

para estimular a disposição de lutar.
Sun Tzu (2.14)

Como administradora, se você quer motivar o seu pessoal de vendas a produzir resultados financeiros para a empresa, seja generosa nas recompensas. No caso daqueles indivíduos que contribuem significativamente para a saúde financeira da empresa, além dos bônus e das recompensas financeiras, promova e homenageie.

Michelle trabalhava, em Paris, na sede de uma importante firma internacional da área financeira. Era criativa, empreendedora e aplicada – o tipo de funcionária com que qualquer empresa teria orgulho de contar. Ela foi responsável por várias grandes transações internacionais que renderam à firma vinte milhões de dólares.

Por seu excelente desempenho, recebeu um bônus de dois mil dólares. Pediu demissão. Em seguida, montou seu próprio negócio. No ano passado, teve um faturamento bruto de cem milhões de dólares. Se você não recompensar generosamente os funcionários de desempenho excepcional, é provável que acabe criando concorrentes "dentro de casa". Para garantir a sua sobrevivência, recompense generosamente aqueles que alcançarem resultados para você.

Feche negócios rapidamente

O elemento mais importante
na condução das operações de guerra
é buscar a vitória rápida,
evitando uma campanha prolongada.
Sun Tzu (2.15)

No mundo empresarial, todos os objetivos se voltam para fechar negócios e ganhar dinheiro o mais depressa possível. Helen era muito boa em gerar novos negócios e tinha ótimos contatos com pessoas de

Tóquio a Londres. Sua chefe, Terry, começou a notar, no entanto, que quando o contrato estava para, finalmente, ser fechado, Helen o deixava "mofando" sobre a mesa durante semanas; às vezes, até se esquecia dele, enquanto se ocupava de futuros negócios.

Finalmente, Terry teve de mostrar a Helen que os procedimentos para novos negócios custavam à empresa telefonemas e faxes internacionais, isto sem falar em tempo e trabalho, enquanto contratos já garantidos eram deixados de lado.

No setor em que Helen atua, o prazo para um negócio caminhar, dos primeiros procedimentos até o contrato, é de seis meses a um ano. Terry questionou Helen quanto a um possível bloqueio psicológico: por que ela não fechava o negócio, fazendo entrar dinheiro? Helen finalmente descobriu que gostava mais das operações de guerra do que de vencer as batalhas, para chegar à vitória. Percebendo e superando isso, ela se tornou uma das melhores do setor.

Esse princípio também se aplica aos pedidos de casamento. Se você namora o Príncipe Encantado há uma eternidade, e ele ainda não falou em casamento, você precisa agir como nas transações comerciais: examinar as razões pelas quais o negócio ainda não foi concluído, e apressar o desfecho.

São muitas as razões para um homem não falar em casamento: 1) Ele pode ser um solteirão inveterado ou um divorciado desconfiado. 2) Ele pode pensar que, se pode beber leite de graça, não precisa comprar uma vaca. 3) Ele quer casar, mas não com você. Se não há esperança de fechar o negócio, desista dele. Não prolongue a situação, a não ser que o esteja usando como parceiro sexual grátis.

Quer se trate de negócios ou de relacionamentos, é importante fechar os negócios possíveis e abandonar os impossíveis. Enquanto estiver ocupada com negócios sem futuro, você pode deixar passar verdadeiras oportunidades. Resolva: é pegar ou largar; de qualquer modo, sempre se pode passar para o item seguinte e manter o fluxo do $.

Faça primeiro um bom marketing pessoal

Ela vencerá
quando o soberano
não interferir em sua campanha.
Sun Tzu

A única maneira de garantir que o soberano (o chefe) lhe dê liberdade para conduzir as operações de guerra é você passar a imagem de ótima líder e administradora. Se você não fizer um bom *marketing* pessoal, conquistando a confiança do chefe, ele (ou ela) não vai ter outro jeito, a não ser interferir.

Qualquer que seja a sua posição na vida, você é sempre o seu primeiro produto; portanto, transmita uma imagem pessoal positiva. Quem não é capaz de "vender" uma imagem positiva não conseguirá vender outros produtos, sejam eles bens ou serviços. Na verdade, é muito mais fácil vender a própria imagem do que um produto, porque você geralmente não tem controle direto sobre os produtos que vende.

O produto é, com freqüência, fruto das idéias de um grupo de pessoas desconhecidas, ao passo que você é o resultado direto das suas ações. Seus pais lhe deram o essencial para se tornar um ser humano, e você completou o modelo, formando a pessoa que é hoje. Se estiver feliz com o resultado, vender *a sua imagem* vai ser fácil demais.

O modo como você se representa afeta todos os aspectos da vida – desde conseguir um emprego até fazer uma venda; desde manter um casamento até conquistar o respeito e o amor dos filhos.

Lá longe, na luz do sol,
estão minhas aspirações mais elevadas.
Talvez não as alcance,
mas posso olhar para cima e ver
sua beleza, acreditar nelas
e tentar seguir aonde me levarem.
Louisa May Alcott (escritora)

Se você não se esforçou bastante, para melhorar mental ou fisicamente, pensando e agindo direito, isso vai aparecer. E, então, vai ser difícil vender a sua imagem, e muito mais difícil vender o seu produto. As pessoas só fazem negócios com aqueles de quem gostam.

Traga a caça para alimentar a si mesma e aos outros, tornando-se assim um elemento de valor inestimável. Quem vai discriminar você, no ambiente profissional ou onde quer que seja, se é a sua presença que garante a todos a sobrevivência? É essa a maneira criativa de exercer o princípio de *fa*. Assim, você se preserva por meio da capacidade de manter o $ entrando para todos.

Administrando a equipe de trabalho e os filhos

> *Nenhum comandante deve travar uma guerra movido pela raiva.*
> *Nenhum general deve lutar uma batalha movido pela fúria.*
> ***Sun Tzu (12.18)***

O administrador não deve espalhar sua raiva no local de trabalho por falta de autocontrole; a mãe não deve castigar os filhos por estar irritada. A maioria das pessoas pensa que profissão e família são situações contraditórias; eu não concordo. Ao contrário: acredito que casa e trabalho se complementam. Qualquer mãe capaz de dar autonomia e ensinar disciplina aos filhos consegue facilmente transferir essas habilidades para o ambiente profissional.

A atitude e o tom de voz com que você se dirige aos filhos e à equipe de trabalho podem ser diferentes, mas os princípios de cuidado, potencialização, correção e disciplina são os mesmos. Se você aprender a cultivar o talento da equipe, ajudando o pessoal a se ajudar na realização de projetos bem-sucedidos, pode transferir a experiência para a educação dos filhos. Os conselhos de Sun Tzu para o gerenciamento de equipes aplicam-se igualmente à administração da vida familiar.

Como administrar a equipe de trabalho e a família:

1. *Não se frustre*

> *Recompensas freqüentes demais às tropas indicam*
> *que os recursos estão se esgotando;*
> *punições freqüentes demais às tropas demonstram*
> *o seu estado de frustração com a situação atual.*
> ***Sun Tzu (9.38)***

A razão de oferecer recompensas à tropa sem esta merecer e de punir injustamente é a sua própria frustração pela falta de orientação e de habilidade necessárias à produção dos resultados desejados. Em vez de se dedicar somente à equipe, pense em você, para descobrir por que age tão desesperadamente.

Minha amiga Tina e o marido Ted eram donos de uma empresa de informática multimídia. Com a competição cada vez mais acirrada, muitos contratos em perspectiva não se concretizaram. Na esperança de que o próximo fosse um "grande" negócio, Ted queria manter a equipe, de modo que quando os potenciais clientes chegassem, vissem o escritório cheio, dando a impressão de que os negócios iam de vento em popa.

Quase todo dia, formal ou informalmente, Ted fazia palestras motivadoras e levava o pessoal para comer em restaurantes ou mandava buscar refeições. Quanto mais conversavam, quanto mais comiam, mais os empregados se demitiam. Era como se sentissem o desespero da situação e quisessem abandonar o barco o mais rápido possível.

Enquanto isso, Tina e o sócio Leo, que cuidava do departamento técnico, tinham discussões terríveis e trocavam acusações. Finalmente, a empresa acabou. Quando penso na situação, vejo como são verdadeiras as palavras de Sun Tzu.

Os filhos se comportam exatamente do mesmo modo que as tropas e a equipe de trabalho. Se os repreendemos com muita freqüência, isso quer dizer que eles venceram e nós perdemos. Só vai nos restar desespero e frustração. Não vão nem nos ouvir e terão plena certeza de que não temos a menor idéia de como discipliná-los. Se os elogiamos e presenteamos mesmo quando não merecem, eles logo percebem e nos dominam. Você precisa se afastar da frustração que sente em relação a eles e não ficar buscando desesperadamente sua aprovação.

2. *Imponha disciplina apropriadamente*

Se você impõe precocemente punições aos soldados, antes que se apeguem a você, não conte com a lealdade deles. E soldados desleais não servem para nada. Quando os soldados se apegam a você, mas não recebem a punição que merecem, também se tornam inúteis.
Sun Tzu (9.45)

A maioria dos administradores não dá a menor importância às conseqüências que as punições possam ter sobre seu pessoal e sobre o estado de espírito do grupo. O mais surpreendente é que, quando Sun Tzu escreveu **A Arte da Guerra**, jamais havia comandado quem quer que fosse; e, no entanto, foi capaz de perceber que punir os soldados na ocasião certa era condição essencial ao sucesso das operações de guerra.

A única explicação para a compreensão dessas sutilezas seria a sensibilidade de Sun Tzu aos efeitos que uma punição teria sobre uma única pessoa. Ele, provavelmente, teve uma experiência pessoal com o filho ou com outros membros da família. Observando a reação de uma pessoa a determinada situação, você pode chegar à conclusão de que os seres humanos reagem de maneira semelhante a situações similares.

Essa estratégia é de grande importância para os pais substitutos. Ser madrasta é sempre muito difícil. Você se casa com o pai da criança e, apesar de não ser a mãe biológica, assume a responsabilidade pela educação dela. As suas medidas de disciplina devem ser tão bem consideradas quanto as de Sun Tzu.

3. *Ame-os como se fossem seus filhos*

Quando você cuida das tropas como se fossem seus filhos pequenos, os soldados o seguem aonde quer que você os leve. Quando você os trata como se fossem seus filhos amados, eles o seguem até a morte.
Sun Tzu (10.20)

Sun Tzu não está interessado em cuidar de um grupo de soldados cheios de coragem para morrer, mas carentes da capacidade para vencer. Para alcançar os objetivos de seu comandante em chefe, Sun Tzu precisa criar soldados com coragem para morrer e uma capacidade suprema de se manterem vivos; essa combinação leva à vitória.

Como administradora, se você cuida dos funcionários como se fossem seus filhos, recebe deles respeito e lealdade. Para isso, ofereça treinamento em habilidades profissionais e procure desenvolver neles um estado de espírito que os leve a um desempenho tão bom, que eles mesmos se surpreendam. A melhor maneira de amar aqueles a quem você lidera é torná-los vencedores.

Para alguns pais, é mais fácil "comprar" o amor dos filhos com coisas materiais do que cultivar a compreensão através da comunicação . Só que assim, quando crescem e não precisam mais do dinheiro dos pais, estes os perdem.

Amar os filhos é dar apoio nos estudos e ajudá-los a entender as complexidades da vida, que eles já enfrentam e que mais tarde serão seus maiores desafios. E a resposta vem em forma de amor e lealdade, que se prolongam enquanto houver vida, e até depois da morte.

4. *Não seja tão amorosa*

Quando você é complacente com as tropas,
compromete a sua autoridade.
Delicadeza em excesso gera desrespeito às ordens.
Sun Tzu (10.21)

Como disse Groucho Marx, "Eu jamais entraria para um clube que me aceitasse como sócio". É esse o mistério da natureza humana: desprezamos quem se oferece. A regra vale não somente para os que trabalham conosco, mas para os clientes também. Quando nos mostramos disponíveis demais, perdemos o poder de aconselhá-los e, portanto, de servi-los. É praticamente certo que, com o tempo, acabem se afastando.

Tammy era vendedora, e sua filosofia de trabalho consistia em construir um relacionamento de amizade, por meio de conversas pessoais. Em determinada ocasião, Terry, sua chefe, verificava as contas de telefonemas internacionais dados no horário noturno e observou que Tammy costumava fazer de oito a dez ligações para o mesmo cliente em uma só noite. Entre outros, ela havia ligado para um cliente na Inglaterra que vinha adiando o pagamento do que devia: 1.500 dólares.

Terry mostrou a Tammy que, dedicando tanto tempo ao cliente, havia perdido completamente o respeito dele: "Para ele, o seu tempo não vale nada. Parece que você não tem outros clientes a atender. Você vem aceitando desculpas pelo telefone há seis meses. E era um negócio tão simples, tão rotineiro. Que tanto vocês tinham a dizer, a ponto de um telefonema se estender por 60 minutos? As contas dos seus telefonemas chegam a quase 1.500 dólares. Com conversas pessoais, você perdeu de tal modo o respeito do cliente, que agora é que ele não vai pagar mesmo".

Os princípios para a administração de funcionários, tropas ou clientes são os mesmos quando se trata dos filhos. Seja carinhosa, sem ser complacente demais; envolva-se, mas não perca a autoridade; seja compassiva, sem comprometer a disciplina.

Os seres humanos são como predadores na selva. No subconsciente, estamos sempre nos avaliando: "Quem será minha presa? A quem devo respeitar e obedecer?" Ser "boazinha" demais é a melhor maneira de perder a autoridade com as crianças, os funcionários e clientes.

Karen acreditava que o amor resolve tudo e sempre foi permissiva com o filho. Deixou que usasse drogas, fumasse, bebesse e abandonasse os estudos antes de concluir o ensino médio. Continuou a cobri-lo de carinhos e a repetir o quanto era bom garoto. Gastou 100.000 dólares em tentativas de reabilitação, sem resultado algum. Ele não tinha incentivo para mudar. Agindo bem ou mal, recebia o mesmo tratamento carinhoso. **Quando você não consegue administrar filhos e funcionários, o problema não são eles; é você.**

5. *Nunca mime demais*

> *O excesso de complacência vai transformar os soldados em um bando de crianças mimadas, descontroladas e inúteis.*
> ***Sun Tzu (10.22)***

Carl Von Clausewitz, autor alemão do século XIX, escreveu *Da Guerra*, o mais importante livro do Ocidente sobre estratégia de operações de guerra. São dele estas palavras: "Um exército deve conter o impulso de avançar com uma atividade desenfreada, característica da natureza humana, e se submeter a exigências maiores: obediência, ordem, regra e método. Um exército que preserva suas formações usuais sob fogo cerrado nunca perde o senso de obediência, o respeito e a confiança em seus líderes e no treinamento que recebeu".

Como administradora e mãe, você potencializa e disciplina os empregados e os filhos. Precisa haver um equilíbrio delicado entre potencialização e disciplina. A potencialização tem a tendência a inflar o ego e aumentar a sensação de importância. A disciplina não raro leva o ego a se sentir momentaneamente diminuído. O que gera potencialização e disciplina verdadeiras é o treinamento adequado do ego, fazendo com que se mantenha voltado para o objetivo desejado.

6. *Administre a equipe do mesmo modo como administra os filhos*

> *Administrar um grupo numeroso é exatamente o mesmo que administrar um grupo pequeno;*
> *é tudo uma questão de divisão de quantidades.*
> ***Sun Tzu (5.1)***

Em relação à administração de pequenos e grandes grupos de pessoas, Sun Tzu tinha uma visão pouco convencional que vale a pena analisar. Durante muito tempo, não consegui aceitar a idéia. Então, comecei a comparar a estrutura de gerenciamento de meus clientes, que são grandes empresas, e minha própria equipe, bem pequena. E, de repente, percebi que Sun Tzu estava absolutamente certo: não existe diferença entre gerenciar um grupo grande e um grupo pequeno – é tudo uma questão de escala.

Todos os detalhes devem ser considerados com o mesmo cuidado em ambientes pequenos ou grandes. Em uma pequena empresa, todos os aspectos de *marketing*, engenharia de sistemas, contabilidade e fabricação também precisam de atenção. A única diferença é que, na grande empresa, são duzentas pessoas fazendo a contabilidade, e por isso há necessidade de separá-las em departamentos e divisões. Na pequena empresa, uma só pessoa cuida da contabilidade, mas precisa ter a mesma capacidade e dedicar a mesma atenção aos detalhes que há no departamento de duzentas pessoas da megacorporação. Na verdade, os gerentes de empresas de 10.000 funcionários estão também gerenciando apenas um grupo de pessoas.

O comando vem do escalão superior e se distribui para baixo, às primeiras camadas, e então se multiplica. Na China, diz-se que "O tordo, embora pequeno, tem os mesmos órgãos internos da maior das águias".

Se você tem cinco filhos que a deixam louca, dê um descanso a si mesma, adotando essa teoria de gerenciamento. Se você gerenciar com eficácia uma pessoa, pode fazer com que ela assuma a responsabilidade de ajudar a gerenciar as outras.

A história de minha amiga Belinda ilustra muito bem a idéia. Ela tem três cães da raça *rottweiler:* a mãe e dois filhotes. Belinda mandou os dois pequenos para o adestramento, porque eram muito desobedientes. Depois de uma despesa de 1.500 dólares, os cãezinhos voltaram sem ter aprendido absolutamente nada.

Ela, então, decidiu mudar de estratégia. Sempre que os pequenos se comportavam mal, Belinda chamava a cachorrinha mãe, e dizia que ela era má, que não sabia educar os filhotes. Logo a mãe percebeu que era seu dever ensinar a prole a se comportar. Em pouco tempo, milagrosamente, os cãezinhos se tornaram jovens bem educados, como convém a uma sociedade refinada.

Bom administrador é aquele que gerencia com eficiência os elementos-chave, seja em casa, no trabalho ou até mesmo no relacionamento com os cachorros, de modo que os resultados positivos apareçam.

7. Compreenda a dinâmica do grupo

A líder competente dirige um milhão de soldados como se estivesse pegando pela mão um só indivíduo; em ambas as situações, ela age com total liberdade.
Sun Tzu (11.38)

Essa estratégia é uma das maiores causas de controvérsias entre Oriente e Ocidente. No Ocidente, antes de contratar você, a empresa quer saber quantas pessoas já gerenciou. Na antiga China, os comandantes queriam saber o quanto o candidato sabia da arte de gerenciar, ainda que não tivesse qualquer experiência.

Os asiáticos acreditam que, quando alguém possui um alto conhecimento intuitivo de um determinado assunto, isso é sinal de que foi um especialista nas encarnações anteriores. Por essa razão, Sun Tzu, então um fazendeiro, foi aceito pelo rei Wu para comandar seu exército.

Para administrar um milhão de soldados, para Sun Tzu, bastava perceber como age cada indivíduo. Essa idéia se baseia no conhecimento da natureza humana. Quando um milhão de pessoas se reúne, o grupo não assume um milhão de personalidades, mas uma só. Se você

> A família exerce um papel decisivo na nossa sociedade
> e no treinamento das gerações que estão por vir.
> ***Sandra Day O'Connor (Juíza da Suprema Corte)***

sabe lidar com uma pessoa, sem dúvida será capaz de administrar um milhão como se fosse um só. Sun Tzu entendia as motivações pessoais tão bem quanto qualquer psicólogo moderno – ou melhor. Afinal de contas, estratégia se resume, em primeiro lugar, a gerenciar pessoas.

Minha amiga Lila é íntima do primeiro ministro da China, Jiang Zemin. Certa vez, durante um jantar, os dois conversavam despreocupadamente, e Jiang Zemin perguntou a ela como administraria a China.

"Trataria o bilhão de chineses como se fosse meus filhos. E acho que a China estaria bem", ela respondeu. E está certa, apesar de nunca haver estudado as teorias de Sun Tzu. Para ela, tratava-se apenas de bom senso.

A maioria das pessoas se sente pronta para ter filhos, mas ser um bom pai ou uma boa mãe não é tão fácil assim. Quem sabe ser bom pai ou boa mãe está muito à frente dos administradores que aprenderam nas salas de aula. O indivíduo brilhantemente criativo aprende a entrelaçar o *fa* do gerenciamento de sua equipe de trabalho com o do cuidado dos filhos.

Abrace a carreira e a família

> *A lei e a ordem devem ser mantidas.*
> *A divisão de obrigações e tarefas pelas tropas e a cadeia de comando devem estar claras.*
> *As tarefas devem ser determinadas conforme o conhecimento do soldado.*
> ***Sun Tzu (1.8)***

O maior desafio enfrentado pela mãe trabalhadora é conciliar as tarefas domésticas com a criação dos filhos e ainda apresentar um desempenho profissional excelente. Tenho uma amiga com mais de trinta anos de experiência em medicina natural. Segundo ela, "a maior causa das doenças das mulheres são o marido e os filhos". Por mais que a mulher trabalhe fora de casa, suas experiências mais estressantes são aquelas resultantes das interações familiares.

É hora de vocês, mulheres que usam no trabalho toda a criatividade, inovação e capacidade de adaptação, começarem a transferir as habilidades da vida profissional para a vida doméstica. É possível abraçar o marido, os filhos e a carreira – tudo ao mesmo tempo.

Aqui estão algumas idéias simples que podem ser incorporadas à vida.

Para administrar a família:

▸ *Erradique da sua família a síndrome do parasitismo*

Ninguém jamais afirmou que a mãe tem de fazer tudo. Todos os membros da família são iguais, exceto os muito jovens e os muito velhos. Acostume o marido e os filhos à idéia de que são unidades auto-suficientes. Cada um é responsável por si. Deixe de ser escrava da família. Está aí uma oportunidade de demonstrar o seu poder de liderança.

Se você não é respeitada no ambiente doméstico, leia novamente o capítulo "Tornando-se Poderosa". Se não consegue respeito em casa, como espera ser respeitada e liderar no trabalho? Conheço alguns pais que têm medo dos filhos. É ridículo, mas é verdade.

▸ *Delegue, delegue, delegue*

Faça uma lista resumida das obrigações domésticas comuns, como cozinhar, lavar a louça, lavar e passar roupa, arrumar a casa, cuidar do quintal e outras. Assim como no ambiente de trabalho, distribua tarefas por diferentes indivíduos. Se você é quem cozinha melhor, assuma o fogão e deixe que o marido ou os filhos cuidem da louça.

Se o seu marido é perito na lavagem de roupas, ele pode ficar com essa parte, enquanto as crianças dobram e você passa ou separa. Vocês podem fazer as camas juntos. E fazer as compras pode ser um bom programa coletivo.

Depois que os membros da família são treinados para se responsabilizar por certas tarefas, tudo fica mais fácil. O pior é gastar tempo e energia tentando vencer a resistência dos que não querem colaborar. O mais importante é fazer todos entenderem que são auto-suficientes e que você não é escrava.

A contribuição para o bom andamento da casa não é opcional; é obrigação de todos que vivem nela. O rodízio de tarefas é perfeitamente aceitável. O que não pode acontecer é alguém se esquivar de colaborar. Quando, porém, a necessidade da colaboração de todos torna-se bem clara, a maioria das crianças fica satisfeita em participar. Tudo depende do enfoque dado à situação.

Deixe seu marido perceber que cuidar de uma criança faz bem à alma

Quando o casal trabalha e tem um bebê, a solução é dividir a responsabilidade. Em uma viagem internacional que fiz, conheci um casal que voava de primeira classe, com um bebê de dez meses. Segundo me contaram, a mulher era uma executiva de sucesso e o marido ficava em casa, cuidando do filho. Ela estava viajando a trabalho e ele ia junto, para que não ficassem muito tempo longe um do outro e da criança. O que ouvi dele foi: "Cuidar de um filho pequeno é bom para a minha alma e para a dele". Carly S. Fiorina, presidente da Hewlett-Packard sempre diz que seu marido é um dono de casa muito feliz.

Se você e o seu marido são ocupados demais para cuidar de um bebê, é melhor esperar para engravidar mais tarde, quando puderem pagar alguém para ajudá-los. Não deixe de lado os seus pequeninos, para que, ao crescerem, não se juntem às inúmeras almas torturadas que vagam por este mundo.

O tempo da família é sagrado

Já se disse milhares de vezes, mas ainda há quem não siga o conselho: por mais que esteja ocupada, o tempo que você prometeu dedicar ao marido e aos filhos é sagrado. Se você não insistir em manter os compromissos assumidos com os filhos, eles logo vão parecer insignificantes, comparados a qualquer imposição do trabalho. E isso eu garanto: sempre vai surgir alguma coisa "importante".

Quando você começa a adiar os compromissos assumidos com o marido e os filhos, a se desculpar, a fazer promessas e mais promessas e a descumprir o acordo mais uma vez, antes que se dê conta, um simples jogo de futebol das crianças pode se transformar em uma força incontrolável com vida negativa própria.

No ramo de imóveis, o tempo é essencial. Às vezes, é preciso fazer uma oferta imediata. Conheci uma corretora de imóveis que, muitas vezes, teve de sair correndo para não perder uma oportunidade de fazer negócio. Então, para que os filhos não se desapontassem caso ela não estivesse presente no dia do aniversário deles, ensinou-lhes que todo dia é especial, e merece ser festejado. Assim, fazia festas de vez em quando só para comemorar o fato de estarem vivos. E nas raras ocasiões em que não pôde estar presente, as crianças sabiam que deviam considerar todos os dias igualmente especiais.

Mantenha a casa organizada

Quando a casa é desarrumada, as contas se acumulam sobre a mesa da cozinha entre notas de compra e jornais velhos e você não consegue encontrar nada, a desorganização cresce e se transforma em um monstro do tamanho de Godzilla.

Se você não sabe como organizar, compre um livro sobre o assunto.

Pague para que alguém faça o serviço doméstico

A maior parte do estresse pela administração da casa vem da falta de cooperação dos filhos e do marido nos serviços domésticos. E lá vêm os gritos. A pia está cheia, a mesa de jantar desaparece sob uma pilha de papéis. Ninguém passa aspirador na casa há meses. Eis aí uma verdadeira incubadora de estresse para uma trabalhadora e dona de casa.

A qualidade da vida no lar afeta diretamente o desempenho profissional. Uma vida doméstica descontrolada produz uma dona de casa estressada e, por conseqüência, uma profissional sobrecarregada.

Se você não consegue fazer a família colaborar, talvez esteja precisando dos serviços de uma faxineira ou de um jardineiro. Ao pagar para que outros façam o trabalho doméstico, você está, na verdade, comprando tempo para si mesma, uma saudável dose de paz e harmonia para a família e condições de se dedicar ao marido e aos filhos.

Aquela que contar com o apoio fervoroso
de todos os membros do grupo vencerá.
Sun Tzu (3.19)

Assim falou um grande filósofo hindu: "Quem obedece é capaz de comandar". Você vai ver que, forçando-se a estabelecer regras para os filhos e o marido, fará deles e de si mesma pessoas mais felizes. Gente disciplinada é sempre mais feliz. Ame os seus filhos, mas não se deixe manipular por eles. Isso é *fa*.

As pessoas pensam que um homem é a única resposta para a realização de uma mulher.
Na verdade, prefiro um emprego.
Princesa Diana

O MOMENTO DA PROMOÇÃO

Em um mundo ideal, todos seriam promovidos com base somente em seu desempenho. E, no ambiente de trabalho, todos apoiariam uns aos outros, de modo que cada um pudesse brilhar em sua respectiva área de excelência. Mas, já que os seres humanos são do jeito que são, não há como mudar a realidade da política do ambiente profissional. Se você, apesar de realmente brilhante e dedicada, não vem sendo promovida como mereceria, é hora de pensar em aperfeiçoar as habilidades políticas.

Existem seis tipos de terreno:
o solo favorável,
a encosta íngreme,
a paisagem complexa,
a passagem estreita,
o topo da colina,
a terra distante.
Sun Tzu (10.1)

A política do ambiente profissional pode causar mais incômodo e estresse do que o próprio trabalho. A ansiedade pode ser uma presença constante no local de trabalho e acompanhar você até em casa, incomodando durante a noite. A ansiedade é capaz de arruinar o que seria um maravilhoso fim de semana com a família. A falta de habilidade política não somente causa ansiedade emocional, como impede o progresso na carreira. Sem conhecer as regras do jogo, você pode ficar presa a uma posição inferior durante mais tempo do que deveria, por mais brilhante que seja a sua atuação.

Não estou falando de fazer da habilidade política o maior objetivo na profissão, mas simplesmente de tomar consciência de alguns aspectos básicos do panorama da luta pelo poder. Assim, você terá um domínio maior da situação, com menos frustração e mais agilidade para se livrar das armadilhas que ficam à espreita ao longo da carreira. E uma possibilidade muito maior de ser promovida.

Sun Tzu nunca se referiu especificamente a esse assunto, mas já que estamos nos esforçando para sermos vencedoras capazes de inovação entusiástica, adaptação rápida e criatividade brilhante, por que não ampliar as estratégias? Sun Tzu utiliza alguns princípios para classificar os tipos de terreno, de modo a manobrar as tropas com eficiência em meio a diferentes condições geográficas; no entanto, podemos adaptá-los aos tipos de relacionamentos existentes em todo ambiente profissional, e que certamente vamos encontrar na subida da escada corporativa.

As fórmulas listadas a seguir não devem ser tomadas ao pé da letra, mas servir de orientação para lhe estimular a percepção e expandir a visão.

Seis formas de manobrar no terreno profissional:

1. O solo favorável

O solo favorável é aquele em que vou e venho livremente.
Posso montar meu acampamento em posição vantajosa,
que me garanta fácil acesso ao ataque e à defesa.
Nesse solo, é fácil passar com tropas e suprimentos,

o que favorece o resultado da batalha.
Sun Tzu (10.2)

O solo favorável é um ambiente no qual você entra e do qual sai com facilidade. No ambiente profissional, significa alianças amigáveis, mentores, uma boa equipe; você tem possibilidade de promoção sem obstáculos; você pode mudar para a posição que desejar. O solo favorável contribui para os objetivos da carreira, por não apresentar barreiras indesejáveis.

Alianças amigáveis são aquelas que estão acessíveis a qualquer momento, oferecendo orientação e soluções em circunstâncias difíceis. O vínculo com essas pessoas é de grande benefício e, desde que você saiba julgar o caráter delas, não há precauções a tomar. Sempre analise os motivos cuidadosamente.

Qualidades de um aliado

- **Ajuda altruisticamente,** pelo prazer de ajudar, sem pensar em recompensas.
- **Tem uma ligação especial com você.** Por alguma razão misteriosa, o aliado aceita você como parte da vida dele. Várias vezes me beneficiei de encontros com pessoas desse tipo que me estenderam suas mãos generosas; serei eternamente grata ao fato de terem cruzado meu caminho.
- **Expectativa de troca de favores.** Você é vista como alguém que estará em posição de fazer favores ou possuir algo de valor no futuro. Isso, em geral, não é falado explicitamente, mas percebido por sua aguçada intuição feminina.

Cuidado com a falsidade. Existem pessoas dissimuladas que vão se fazer de aliadas, mas na verdade, por motivos reais ou imaginários, consideram você uma ameaça. Esse tipo de gente finge apoiar só para estar por perto, observando; elas procuram ter acesso ao seu trabalho e à sua mente para sabotar e arruinar.

Uma regra simples para detectar comportamento enganoso é: quando o seu instinto disser para não confiar em um "suposto" aliado e a sua mente for contra, aconselhando você a não ser tão severa e confiar mais nos outros, siga o instinto; não dê atenção às argumentações da sua mente.

2. A encosta íngreme

A encosta íngreme é uma estrada inclinada;
fácil de entrar na descida,
difícil de sair na subida.
Se o inimigo não estiver preparado,
você pode conseguir a vitória atacando de surpresa.
Se o inimigo estiver preparado para combater,
você ficará encurralado, e não terá como recuar.
Costuma ser um terreno desvantajoso.
Sun Tzu (10.3)

Alguns cargos são como encostas íngremes: fáceis de entrar; é tudo ladeira abaixo. Mas para subir, a jornada é toda ladeira acima. O que caracteriza esse tipo de cargo é que só deixam que você permaneça nele enquanto não suspeitarem das suas ambições.

É preciso convencer seu chefe de que você não representa uma ameaça ao cargo que ele ocupa. Se um chefe (ou uma chefe) suspeitar de suas ambições e decidir lutar, você vai sair perdendo. Não foi sendo bonzinho que ele conseguiu alcançar uma posição de autoridade superior à sua.

Obtendo o máximo possível da encosta íngreme:

- *Se quem a convidou a tomar a encosta íngreme foi um expoente da profissão, com quem você tem muito a aprender, agarre a oportunidade.* Estando entre os melhores do setor, não há perigo de você ficar estagnada.
- *Depois de aprender tudo o que for possível, é boa idéia manter a associação com o guru da sua profissão, já que isso lhe daria o imprimátur e lhe permitiria "pegar uma carona" no brilho de glória que emana dele.* Além disso, sempre existe

a chance de que esse chefe/mestre/mentor queira promovê-la a chefe de outro departamento, abrir uma nova agência ou criar um novo cargo em que você possa brilhar. Afinal de contas, você é sua melhor aluna!

- *Aprendendo com o melhor, você se tornará um elemento de valor inestimável para o setor.* Você seria considerada um recurso valioso, e qualquer empresa faria de tudo para tê-la em seus quadros. Pode ser que você escolha a independência, e se afaste do mestre, como fez o psicanalista Carl Jung. Depois de aprender tudo que pôde com o grande Sigmund Freud, ele deixou Viena, para ter a liberdade de desenvolver teorias próprias de psiquiatria moderna.

3. A paisagem complexa

> *Este terreno é desvantajoso*
> *para a movimentação do meu exército*
> *e também para a movimentação do exército inimigo.*
> *Neste terreno, ainda que o inimigo me instigue a sair do lugar,*
> *devo permanecer imóvel.*
> ***Sun Tzu (10.4)***

Esse tipo de terreno é cheio de obstáculos, como pântanos mentais e divisões políticas; manobrar em um terreno desses é difícil para todos. Quem fizer o primeiro movimento perde. Não deixe que o inimigo a incite à ação.

Nesse caso, o terreno pode traduzir-se em um ambiente onde a mediocridade do líder ou a impossibilidade do projeto criam uma atmosfera de derrota quase certa. Aquele que assumir a ofensiva será o primeiro a ter a cabeça cortada.

Guia de sobrevivência:

- *O problema com esse terreno é tão sério, que a solução não está no esforço individual.* Para aqueles que preferirem permanecer nesse ambiente desfavorável em vez de procurar outro lugar, a esperança de sobrevivência está em não balançar muito o barco. Quanto mais você se mexer, mais vai se meter em apuros.

- *Não fazer nada também não funciona.* Você precisa parecer que se ocupa, participando, mas não faça nada por que possa ser responsabilizada. Caso sobreviva o suficiente, a situação pode melhorar; quem sabe o ambiente se transforme. O pior que pode acontecer é você não ter tempo bastante para procurar uma oportunidade melhor em outro lugar.

4. *A passagem estreita*

A passagem estreita;
quando consigo ocupá-la primeiro,
monto guarda na entrada
e espero pelo inimigo.
Se o inimigo ocupa a passagem primeiro,
e guarda com segurança a entrada,
eu recuo.
Se o inimigo se descuida
da guarda da entrada,
eu entro e tomo a passagem.
Sun Tzu (10.5)

A passagem estreita é como o rochedo de Gibraltar, que guarda o acesso ao mar Mediterrâneo, através do estreito entre a Espanha e o Marrocos. Em tempos antigos, um exército de saqueadores ocupou aquela posição, e a riqueza das nações que rodeiam o Mediterrâneo ficou à mercê de sua pilhagem. Ocupe antes a passagem estreita, e vigie a entrada, para evitar que outros entrem.

Em uma empresa, existem certas posições próximas ao líder-chave (a passagem estreita) que contêm o poder estratégico de abrir portas a oportunidades infinitas. Se você ocupar uma dessas posições, o líder vai poder notar o seu brilho. Guarde bem essa posição, de modo que ninguém a tome antes que esteja pronta para ocupar um cargo melhor.

Estratégias para negociação de um posto-chave:

- *Se a passagem estreita já estiver ocupada, não ataque temerariamente.* Você será derrotada logo na entrada bem guardada da passagem. Não provoque o confronto direto com quem estiver ocupando aquela posição estratégica; ela terá todas as condições de atingir você – e fará isso, caso se sinta ameaçada.
- *O único modo de avançar nesse terreno é contar com a sorte de o outro não perceber a importância da posição que ocupa e não defendê-la através de um desempenho espetacular.* O ocupante da posição fica, então, exposto à substituição e à derrota, cedendo o acesso à passagem estreita.

5. *O topo da colina*

> *Quando ocupo o topo da colina,*
> *preciso encontrar um ponto facilmente defensável*
> *que me permita uma visão clara da atividade inimiga.*
> *Se o inimigo ocupa o topo da colina,*
> *devo recuar ou provocá-lo.*
> ***Sun Tzu (10.6)***

Chegue primeiro ao topo de colina. Encontre uma posição que lhe permita uma visão clara de tudo o que se passa embaixo. O caminho é normalmente cheio de arbustos espinhosos e passagens difíceis, mas uma vez alcançado o topo, você se torna membro de um clube muito exclusivo.

Se o topo da colina já estiver ocupado, não faça um assalto frontal nem lute segundo os termos do inimigo.

Para quem já chegou ao topo, o objetivo-chave é garantir o controle desse lugar, tornando-se uma guerreira hábil e se colocando em uma posição invulnerável. A melhor estratégia para isso é realizar e manter um desempenho excelente. Afinal de contas, é hora de justificar o esforço extraordinário feito para chegar lá.

Se você chegou lá por meio de artifícios e tem pouca substância, com certeza está em apuros. Existem muitos pares de olhos famintos à espreita, esperando por um escorregão seu.

Como passar da segunda para a primeira posição? Cada um tem sua personalidade, e são vários os caminhos para chegar ao topo. Escolha aquele que lhe parecer mais adequado e confortável, conforme a sua personalidade.

As estratégias seguintes tanto servem para os indivíduos reservados como para os assertivos:

- *Se você é do tipo não agressivo e está perto do topo da montanha, faça do ato de servir ao chefe e à empresa 200% do seu objetivo.* Quanto mais você se empenha, mais aprende. Não tenha medo de trabalhar duro. Assim, quando o chefe for promovido ou trocar de cargo, você estará pronta e apta para assumir a posição.
  Embora não haja certeza absoluta de que o cargo vá ser seu, ao se tornar mais capaz – a pessoa certa para o lugar certo – estará dobrando as probabilidades.
- *Se você é do tipo assertivo, além de adotar o método descrito acima, acrescente alguns ingredientes que vão aumentar as suas chances de ser a candidata mais óbvia a uma promoção.* Trabalhar duro é muito bom, mas as pessoas que agem assim nem sempre são reconhecidas.
  Às vezes, o destino precisa de uma mãozinha. Apresente-se com aquela auréola brilhante que obriga a elite a prestar atenção em você. Além de demonstrar que é capaz, você precisa parecer um ocupante do cargo.
  O primeiro escalão deve ser levado a reconhecer que é melhor tê-la na equipe do que se arriscar a perdê-la para a concorrência. É então que você vai ser convidada a se unir a eles no topo da colina.
- *Certifique-se de não representar o menor sinal de ameaça às forças ocupantes, ou correrá o risco de ser rapidamente eliminada.* Espere. Seja genuinamente

solidária com o superior a quem você serve (e cujo cargo gostaria de ter). Não deixe de dar apoio também aos seus subalternos. A melhor campanha publicitária que pode fazer a seu favor é ter os seus méritos divulgados por eles.

6. *A terra distante*

É difícil travar uma batalha
em terras distantes.
Uma batalha dessas
é prejuízo certo.
Sun Tzu (10.7)

Napoleão conheceu a derrota na guerra contra a Rússia. Hitler também guerreou a Rússia e fracassou. A Rússia lutou contra o Japão na Manchúria, China. O exército russo era muito superior, mas não conseguiu sustentar as longas linhas de suprimento e foi derrotado pelas forças japonesas. Alexandre, o Grande, encontrou a destruição total ao tentar conquistar a Índia. Uma guerra em terras distantes representa um esforço tremendo.

No ambiente profissional, falando em linguagem figurada, a terra distante são aquelas pessoas que estão muitos níveis acima de você. Evite provocar qualquer tipo de desarmonia com elas.

Como posso um dia alcançar a paisagem distante?

- *Adote a estratégia de negociar a posição-chave na passagem estreita.*
- *Se pretende subir na profissão, evite, a qualquer custo, a paisagem complexa.* Caso se encontre nessa posição, procure um novo emprego e deixe o atual, ou trate de ser transferida para outro departamento.
- *Procure tirar o melhor proveito de uma encosta íngreme.*
- *Reze para que haja abundância de amigos no terreno solidário.*

O bom comandante estuda bem
os seis tipos de terreno
e consegue usar os princípios livremente,
conforme o desafio.
Sun Tzu (10.8)

Já que é a Comandante Suprema da sua vida e carreira, cabe a você estudar os vários tipos de terreno. Ao se deparar com um obstáculo, você precisa primeiro identificar o tipo de terreno onde está pisando e decidir como avançar.

A melhor estratégia é criar paz e harmonia entre os colegas de trabalho, porque onde houver harmonia, haverá prosperidade. Quando, porém, os conflitos de interesses forem inevitáveis, é bom saber se defender e superar a adversidade. Essa é a adaptação criativa de *fa*.

Inimigos são tão estimulantes...
Katharine Hepburn

Lidando com a inveja profissional

Não pense
que jamais será o objeto de um ataque.
Você precisa se fortalecer
e se preparar mentalmente
para ser o alvo do ataque.
Sun Tzu (8.10)

Como disse o grande filósofo sufi Khalil Gibran, "Você trabalha para acompanhar a terra e a alma da terra". Além das recompensas financeiras, o trabalho nos proporciona satisfação mental e espiritual, além da oportunidade de adaptação ao mundo. A simples participação no ambiente profissional nos faz acompanhar a alma da terra.

Somente o fato de passar quatro anos em uma Universidade, ainda que você não seja uma excelente estudante, é o bastante para provocar o toque da aprendizagem. A diferença entre quem termina o ensino médio e quem cursa uma Universidade não está na extensão dos estudos, mas na participação. Pena que o ambiente profissional, além da oportunidade de acompanhar o passo da terra, também favoreça uma competição brutal.

Gosto muito de participar de conferências só para mulheres. O auditório fica tão cheio de afeto e solidariedade... O que me surpreende é ver que as mulheres, tão solidárias em um ambiente artificial e não ameaçador, como uma reunião feminina ou uma competição pela World Cup de iatismo, possam tentar prejudicar umas às outras no ambiente profissional.

Tenho visto isso inúmeras vezes, da Austrália à Europa, nos Estados Unidos e em toda a costa do Pacífico, cruzando fronteiras culturais e geográficas: as mulheres do mundo todo se comportam do mesmo modo – tentamos prejudicar profissionalmente umas às outras. Não é de admirar serem tão poucas as mulheres ocupando altos cargos.

Em um de meus *workshops* para mulheres, quando lancei às mais de mil executivas participantes a pergunta "Quem é o inimigo?", a resposta mais freqüente foi "Eu mesma", seguida de "Outras mulheres" e, por último, "Os homens".

Nossa animosidade em relação a outras mulheres, no ambiente profissional, tem sido uma experiência comum. Na superfície, parecemos muito boazinhas, mas de algum modo sentimos necessidade de nos prejudicar umas às outras, como parte das regras não escritas da competição. A sociedade, e também um condicionamento natural do instinto, nos fizeram acreditar que outras mulheres representam uma ameaça; por isso, estamos sempre prontas a prejudicar as concorrentes.

Os siris na panela

As mulheres praticam a síndrome do "siri na panela", para impedir que as outras subam. Para cozinhar siri, não é preciso colocar a tampa na panela; os siris não conseguem sair. Se, por acaso, um deles se aproxima da superfície e tenta subir até a borda, os outros naturalmente agarram o quase fugitivo e o trazem de volta para a morte coletiva.

É da natureza humana sentir ciúme ou inveja dos que se saem melhor no jogo da vida. Todo mundo já passou por uma situação assim. Somente santos e idiotas foram poupados desse tormento. Mas o fogo da inveja queima a paz de espírito.

Logo depois que cheguei aos Estados Unidos, lembro-me de ouvir minha sogra comentar o quanto apreciava a simpatia de uma jovem que havia sido colega de classe de Gary, meu marido, na ocasião. O entusiasmo de suas palavras me ofendeu, e passei a agir de modo competitivo em relação a uma pessoa que nem conhecia.

Muitas décadas se passaram, e fui deixando de lado aquele comportamento descabido de competição e inveja. Agora, quando encontro uma pessoa bem-sucedida, vejo isso como uma manifestação da vontade perfeita do universo e me entrego à divina inteligência que decidiu derramar sua glória sobre aquele indivíduo.

E, de acordo com a sincronização divina, sei que a minha vez vai chegar. Enquanto isso, posso aproveitar extraordinárias realizações alheias como fonte de inspiração para fazer o melhor. Estou certa de que, sejam minhas realizações grandiosas ou modestas, quando chegar a hora da morte, o Criador vai me atribuir o mesmo conceito dado aos notáveis que vieram antes de mim.

Aceitei de boa vontade o desafio do destino e farei o máximo possível para viver bem e aumentar minha capacidade, ao mesmo tempo em que sirvo à humanidade, visando a um maior proveito. Agora, quando tenho notícia de outros "siris" mais bem-sucedidos que eu, penso: "É isso mesmo. Vá em frente".

Por volta de 1910, a roteirista de cinema Frances Marion foi para a capital mundial do cinema – Hollywood – em busca de novos horizontes. Mary Pickford imediatamente reconheceu o talento dela e insistiu para que escrevesse o roteiro de seu próximo filme. Em seguida, enviou um *ultimatum* ao estúdio, dizendo que, se não fosse Frances Marion a roteirista, ela não seria a estrela.

Com o apoio de Mary Pickford, Frances Marion tornou-se pioneira na redação de roteiros para cinema, tendo dedicado toda a vida à indústria cinematográfica e ajudado muitas iniciantes a se tornarem *superstars*, entre elas a legendária Greta Garbo. Sempre houve e haverá muitas mulheres dispostas a ajudar tremendamente as outras.

Se algumas criaturas mal intencionadas perturbam você, agindo como se fossem siris, experimente as seguintes estratégias:

- **Dê a impressão de estar fora da panela.** Assim como os siris só conseguem puxar os outros que estão na mesma panela, as pessoas só vão atirar sua inveja contra você se puderem se aproximar. Quanto mais perto estiverem, mais provável será que elas cultivem idéias destrutivas a seu respeito. Quando se trata de estranhos socialmente distantes, como Winona Ryder ou Elizabeth Dole, podemos até sentir inveja, mas raramente alimentamos uma hostilidade competitiva.
  Portanto, certifique-se de manter uma distância física e mental razoável dos siris agressivos que a cercam. Não se exponha à perversidade deles, sendo "amiguinha" ou íntima demais das colegas de trabalho. Quanto mais íntima, mais você vai se parecer com um siri ocupando a mesma panela. A amabilidade compensada pela distância mental cria uma sensação de mistério e ilusão – você está fora da panela; talvez nem pertença à mesma espécie.
- **Da primeira vez em que ela se comportar mal, pague em dobro.** Embora a Bíblia ensine a "oferecer a outra face", também se refere a "olho por olho". Ambas as situações são possíveis. Quando recebe um tapa de uma criança, você nem se importa; às vezes, até oferece a outra face. No entanto, se uma colega de trabalho ataca você intencionalmente, o melhor a fazer é cortar o mal pela raiz. Em vez de oferecer a outra face, devolva em dobro, para nunca mais ter de enfrentar uma situação que poderia, com o tempo, passar dos limites.
- **Dance o passo "três para frente e dois para trás".** Se nenhuma das estratégias anteriores funcionar para você, sempre podem ser vistos esses encontros com os siris como uma experiência espiritual, uma oportunidade de aprender a humildade, a tolerância e a resistência ao sofrimento. Cada vez que você der três passos na direção da borda da panela e os siris a puxarem dois passos para trás, você ainda terá dado um passo à frente. Com persistência, você vai acabar conseguindo sair.

Dê apoio a uma colega de trabalho. Realmente, eu disse a você para não se aproximar dos siris agressivos, mas não descarte completamente as mulheres como aliadas. Apóie aquela mulher brilhantemente talentosa que ocupa um cargo abaixo do seu. Isso mesmo: aquela por quem você se sente ameaçada. Vamos analisar a situação pelo ponto de vista da autopreservação. Com a capacidade inerente que possui, ela vai crescer de qualquer modo, tenha ou não o seu apoio. Dona de um talento brilhante como raios de sol, ela será notada por todos, menos por você, caso se recuse a enxergar. E talvez o chefe a promova a um cargo acima do seu. Aos olhos dele, você vai parecer uma idiota invejosa de mente estreita. Pior ainda: qualquer indivíduo talentoso que se sinta preterido pode escolher trabalhar para a concorrência. E depois voltar, tomando-lhe alguns dos seus negócios.

Janet era editora-chefe de uma revista feminina. Jillian era editora sênior da mesma revista. Janet fez de tudo para que o talento de Jillian não fosse reconhecido. Janet infernizou de tal modo a vida da outra, que ela, embora contra a vontade, aceitou o cargo de editora-chefe de uma outra publicação feminina recentemente criada.

Fui visitar Jillian no novo emprego. Seu entusiasmo era contagiante. A nova empresa tinha recursos. O moral estava elevado. Conseqüentemente, a circulação aumentou. Cinco anos mais tarde, a revista de Jillian comprou a de Janet, que acabou perdendo o emprego devido ao corte de funcionários que se seguiu. Hoje, Janet trabalha em uma posição inferior para uma organização sem fins lucrativos.

Aproveite a oportunidade e dê apoio a outra mulher. Quem sabe, fazendo a coisa certa e adotando o *tao* de apoio, você esteja salvando a própria pele.

Aquele que age com habilidade nas operações de guerra (da inveja)
é como a cobra na montanha de Ch'ang,
e reage ao ataque conforme a direção do golpe.
Quando a cabeça é atingida, a cobra ataca com a cauda.
Quando a cauda é atingida, a cobra ataca com a cabeça.
Quando o golpe atinge o meio do corpo,
a cobra ataca com as duas extremidades.
Sun Tzu (11.34)

Sempre haverá siris esperando para atrapalhar a sua subida. Por mais perversos que eles sejam, apegue-se à sua visão interior e veja-se como a vencedora entusiasticamente inovadora, rapidamente adaptável, brilhantemente criativa e apreciadora do prazer que você é, e não haverá ninguém, nem circunstância alguma, capaz de derrotá-la.

Nós, mulheres, como grupo, precisamos acordar para a realidade. É do nosso próprio interesse dar a mão a outros siris aptos a sair da panela primeiro, de modo que possam voltar e nos ajudar a escapar da água fervente. Isso está em linha com *tao* e *fa*.

Como mulher, não tenho país.
Como mulher, meu país é o mundo inteiro.
Virginia Woolf (escritora)

SEIS MANEIRAS DE EVITAR A DERROTA

Na administração, é tão importante saber evitar a derrota como dominar a vitória. Ninguém gosta de admitir a possibilidade de uma derrota, mas sem a compreensão das seis maneiras de ser derrotada, que apresentaremos a seguir, certamente haverá uma emboscada à sua espera.

Existem seis maneiras
de levar o seu exército à ruína.
Nenhuma delas está ligada
às condições de tempo ou geografia.
Todos esses seis elementos levam o exército à morte
devido exclusivamente à ignorância do comandante.
Sun Tzu (10.9)

Seis maneiras de ser derrotada:

1. *Ignorância dos próprios recursos*

Quando as forças do inimigo são dez vezes maiores, mas a comandante acredita que a coragem é suficiente para compensar a enorme desvantagem numérica e lança suas tropas contra a força inimiga, é como se ela estivesse atirando ovos contra um rochedo.
Sun Tzu (10.10)

Quando você não tem uma idéia clara da sua limitação de recursos e assume um projeto além da sua capacidade, o fracasso é certo. As razões que podem levar você a assumir um projeto para o qual não está capacitada são:

(a) Está impaciente para demonstrar que é capaz de um ótimo desempenho.
(b) Está ansiosa por uma promoção.
(c) Não sabe muito sobre si mesma nem sobre o cargo que ocupa.

2. *Um gerente incompetente liderando funcionários capazes*

Quando os soldados são ótimos e os oficiais, medíocres, as ordens e os comandos não são atendidos.
Sun Tzu (10.11)

Toda mulher trabalhadora já passou pela experiência de conviver no ambiente profissional com gerentes incompetentes. Um funcionário eficiente com um gerente pouco capaz é uma situação frustrante e desanimadora, que torna o trabalho insuportavelmente doloroso. Ninguém consegue direcionar a energia para as tarefas profissionais quando tem que canalizar todos os recursos mentais para se defender e combater um chefe tolo. A falta de competência do gerente prejudica todo o departamento. O mesmo se aplica quando a gerente tola é você.

3. *Equipe pouco capaz*

> *Quando os oficiais são ótimos e os soldados, medíocres, os primeiros são forçados, durante a batalha, a assumir missões perigosas, arriscando-se a morrer, o que leva à completa destruição das tropas. Quando soldados mal treinados são levados pelo comandante a enfrentar um inimigo bem preparado, eles preferem fugir seguindo a direção do vento norte.*
> ***Sun Tzu (10.12)***

Se o gerente é capaz, mas conta com uma equipe pouco eficiente, isso vai levar ao fracasso do projeto e à "morte" do gerente por excesso de trabalho.

Certa vez, passei um mês fazendo palestras durante cruzeiros no *Royal Viking Queen*, que atendia a viajantes do mais alto *status* financeiro e social. O preço mínimo era de 300.000 dólares o casal, por um cruzeiro de duas semanas.

Por trinta dias, pude observar o excelente desempenho da tripulação, mesmo em circunstâncias difíceis. Quando perguntei ao chefe da equipe "Que tipo de treinamento eles recebem, para serem sempre tão gentis?", a resposta foi: "Pagamos bem e contratamos os melhores elementos, com qualidades pessoais inatas de amabilidade, que os qualificam para o emprego".

Uma inclinação natural a um bom trabalho é o primeiro passo para o recrutamento; o passo seguinte é um programa de treinamento prático. Se não houver investimento em treinamento, e a tarefa estiver além de sua capacidade, os funcionários vão sentir-se sobrecarregados diante de tarefas desafiadoras (inimigos fortes) e procurar outros empregos.

4. *Um gerente incapaz de criar harmonia e união em seu departamento*

> *Quando o comandante é injusto,*
> *provoca ressentimento entre as tropas.*
> *Durante a batalha, cada soldado,*
> *em vez de obedecer às ordens,*

trava sua própria guerra.
Isso só pode resultar em derrota.
Sun Tzu (10.13)

Para que um projeto avance e um departamento tenha um bom desempenho, são essenciais apoio e harmonia entre o gerente e seu pessoal. As mulheres têm uma tendência mais forte do que os homens a provocar agitação no ambiente, com *fofocas* e comentários negativos. Se o seu departamento tem muitas mulheres, cuidado!

Quando o(a) gerente é detalhista demais, e procura falhas incansavelmente, ou separa os grupos entre preferidos e preteridos, os funcionários não conseguem se concentrar nas tarefas que têm a cumprir. Em vez disso, têm de tentar acompanhar os jogos mentais do chefe, o que é caminho certo para a derrota.

5. *Um gerente sem capacidade de disciplinar*

Quando o comandante é fraco,
sem autoridade sobre as tropas,
quando as tarefas não são claramente determinadas,
quando não há estrutura nem organização no acampamento,
o caos e a desordem predominam
e a derrota é certa.
Sun Tzu (10.14)

Embora o cargo ocupado por você lhe dê autoridade e poder, isso não é o bastante para administrar pessoas e tarefas. É preciso exercer a autoridade para conquistar respeito.

A falta de capacidade disciplinadora tem origem, com freqüência, na falta de poder interior. Se você não tem a menor idéia quanto à direção, aos objetivos e aos meios de alcançá-los; se está completamente

no escuro; se está confusa acerca das prioridades dos seus projetos, e a orientação que dá ao seu departamento é pouco clara, o fracasso é certo, porque o caos será tão intenso, que ninguém sobreviverá a tal ambiente.

6. *Um gerente com poucas habilidades profissionais básicas*

O comandante que não consegue a informação correta quanto ao poder do inimigo acaba utilizando uma força pequena para enfrentar um inimigo poderoso, e ordena a suas tropas inferiorizadas que enfrentem uma força superior. Assim, por falta de treinamento, não haverá soldados capacitados.
Sun Tzu (10.15)

Carl Von Clausewitz, em *Da Guerra*, disse: "Um comandante não precisa ter a menor idéia de como se faz uma carroça ou como se arreia uma parelha de cavalos, mas precisa ser capaz de calcular exatamente a marcha de uma coluna, sob diferentes circunstâncias, conforme o ritmo necessário".

Um gerente não precisa conhecer detalhes do funcionamento do escritório, mas deve ter as informações necessárias sobre os concorrentes, conhecer as próprias limitações e saber utilizar os recursos para obter o máximo de vantagens. Se, no contexto geral, faltam-lhe habilidades básicas para exercer o seu ofício, e ainda assim, você continua agindo como se as tivesse, disparando ordens para todo lado, pode ter certeza: o desastre virá. Tudo o que fizer ou deixar de fazer vai dar errado. E a derrota será inevitável.

Essas são as maneiras de chegar à derrota. É responsabilidade do comandante impedir essas situações e estudá-las com muito cuidado.
Sun Tzu (10.16)

> Se você nunca se assusta, se confunde ou se magoa, é sinal de que nunca se arrisca.
> ***Julia Sorel (escritora)***

Todas as seis maneiras de chegar à derrota aqui mostradas são fatores humanos; devem-se à falta de habilidades humanas e profissionais básicas. As técnicas de administração de Sun Tzu baseiam-se em *fa* – o conceito de disciplina e treinamento de excelente qualidade, aliados à atenção e ao respeito pelas pessoas.

> *A estratégia que levou à vitória não pode ser repetida. Deve ser diversificada conforme as particularidades das circunstâncias.*
> ***Sun Tzu (6.32)***

VITÓRIA SEM CONFRONTO - A NOVA BATALHA DO FEMINISMO

As que combateram pela causa feminina deviam ser condecoradas. Todas as mulheres se beneficiaram de sua dedicação e têm uma dívida coletiva com aquelas almas corajosas. No entanto, agora que entramos em um novo milênio, as antigas táticas se tornaram ultrapassadas e ineficazes.

Por exemplo: o ataque frontal não é uma boa estratégia. A maneira mais fácil de lutar é travar uma guerra não declarada. A seguir, vêm as razões pelas quais as velhas táticas da batalha feminista não funcionam na nova era.

Travar uma guerra contra os homens é uma estratégia pobre porque:

- *Vencedores não protestam*

Somente os inferiores e derrotados precisam protestar abertamente. Para chegar à vitória, a mulher precisa vencer primeiro dentro da mente, ainda que não haja evidências de um possível sucesso. Ela precisa manter uma imagem mental de vitória, não cedendo por um momento sequer à idéia de que faz parte de um grupo de perdedores. Junte-se aos vencedores e não proteste.

Manter uma atitude de animosidade contra os homens é uma posição medíocre

Quando você declara abertamente (seja por palavras ou ações) a sua amargura pelo que os homens fizeram às mulheres, isso só serve para deixar claro o seu ressentimento e criar obstáculos desnecessários para si mesma, antes que tenha sequer a chance de travar a sua batalha. As inimigas dos homens não são uma companhia desejável em uma sociedade elegante. As inimigas dos homens não são executivas apreciadas na hierarquia corporativa.

A batida dos tambores da guerra se volta contra você

Para manter uma causa, é preciso procurar continuamente razões que sustentem a insatisfação e mantenham viva a energia da raiva; para fortalecer a vitalidade do movimento, é necessário lembrar-se constantemente do inimigo, contemplando e recriando a revolta de ser vítima. Nutrir tanta animosidade, porém, não faz bem à saúde.

Isso só reforça a síndrome da vítima. Você é o resultados dos seus pensamentos: uma vítima irritada. E quem se mantém em constante estado de agitação torna-se presa fácil dos concorrentes.

Você estará muito melhor se, em vez de fazer soarem os tambores de guerra, utilizar as manobras sutis de estratégias pacifistas, para alcançar o seu principal objetivo: avançar, avançar, avançar...

A batalha só afirma a sua infelicidade

As palavras têm poder: o que você fala acontece. Pode ser muito prejudicial ficar lembrando constantemente aos outros que você é uma vítima da discriminação masculina. É como se você fosse uma péssima assessora de imprensa de si mesma.

Você vai estar reforçando repetidamente a sua posição inferior e, por associação, acabar se tornando "a moça que sofreu discriminação". No campo de batalha, por mais que esteja sendo derrotada, nunca grite: "Oh, estou perdendo a batalha. Meu inimigo não está lutando honestamente".

A desigualdade é um fato da vida; cabe a você encontrar a estratégia que vai fazê-la vencer a guerra. Quando se trata de vencer, vitória é vitória, e justificativas e explicações são apenas justificativas e explicações. Quando não há vitória, vêm as justificativas e explicações. Na vitória, não há necessidade delas.

Você luta, e os outros colhem os louros

O guerreiro não estratégico é aquele que recebe os ferimentos no campo de batalha, mas é preterido na hora das condecorações. Você pode ser uma Joana d'Arc na luta pela igualdade entre homens e mulheres no ambiente profissional, combatendo bravamente para acabar com a discriminação relacionada às diferenças sexuais, e nunca ser promovida.

Outras mulheres serão promovidas: as que não "criam caso". As que se concentram no trabalho; as que conduzem a vida em condições de igualdade; as que não vêem discriminação; as que transmitem energia positiva; as que usam estratégias para progredir rapidamente – as que vencem as próprias jogadas.

Em 1969, eu tinha acabado de chegar aos Estados Unidos e não sabia dirigir. Preferindo trabalhar perto de casa, para que pudesse ir a pé, aceitei o emprego de vendedora em Las Vegas. Eu não gostava do modo como o proprietário machista tratava as outras garotas. Enquanto elas lavavam os banheiros, eu saía em defesa delas. Em duas semanas, fui demitida. O dono usou a estratégia "mate o galo para assustar o macaco".

Claro que para mim foi uma bênção não continuar até chegar a gerente. Mas, talvez você não esteja disposta a abrir mão do seu emprego com tanta facilidade. Se quer ajudar outras mulheres, garanta primeiro uma posição forte. Aprenda a nadar bem, antes de fazer salvamentos.

É muito louvável que haja pessoas dispostas a dedicar a vida à causa feminina, a carregar os ferimentos recebidos no campo de batalha, já que alguém tem de fazer o trabalho pesado. Mas a nata só fica na parte de cima. As que mais se beneficiaram do movimento feminista foram as poucas líderes que se tornaram celebridades profissionais.

Não quero parecer cínica, mas você não tem tanto tempo e tanta energia sobrando. É preciso ser prática, e perguntar: "Que vantagem eu levo nisso? Vai sobrar uma parte da nata para mim?"

As estratégias de não-confrontação em nossas novas batalhas feministas:

Carregue pouca bagagem

> *Seja tão sutil, tão pequeno,*
> *até ficar invisível.*
> *Seja tão misterioso, tão obscuro,*
> *até ficar inaudível.*
> ***Sun Tzu (6.9)***

O princípio básico da viagem sem peso é fazer com que você se movimente mais depressa, com menos esforço. Se você quer subir rapidamente, precisa se movimentar com se fosse uma pequena unidade, sem carregar bagagem extra. Como é impossível levar todas as mulheres para o topo junto com você, aprenda a carregar pouca bagagem. Se hoje você ocupa uma posição forte, amanhã estará muito melhor e em condições de ajudar as irmãs que vêm atrás. O que, a princípio, poderia parecer uma atitude egoísta, mostra-se, em última análise, a mais altruísta.

É mais fácil fazer avançar um só indivíduo do que uma multidão. Além disso, se cada mulher avançar pacífica e rapidamente, sem fazer soarem as cornetas da batalha, declarando a guerra, quando as pessoas se derem conta, haverá uma multidão delas no alto da pirâmide profissional.

Da próxima vez em que caminhar pelas ruas apinhadas de uma grande cidade, experimente tentar abrir caminho pela multidão, aos empurrões. Você vai encontrar grande resistência, isto se não sofrer alguma agressão física; muito esforço para pouco resultado.

A outra técnica é andar calmamente, mas sempre alerta, em busca de espaços por onde possa avançar. Repita o processo quantas vezes forem necessárias, até chegar ao destino. Você vai ver como logo terá passado à frente da multidão.

▸ *Opere de um ponto de partida mais elevado*

> *Aquele que tem habilidade*
> *nas estratégias de operações de guerra*
> *consegue se impor*
> *e se proteger das imposições.*
> ***Sun Tzu (6.2)***

Substitua o mantra "Sou objeto de discriminação" (ainda que seja verdade) por "Sou igual a todos e superior na minha singularidade". Só por repetir essa declaração interior de igualdade e singularidade superior você vai avançar instantaneamente, sem precisar fazer nada.

Em vez de insistir em lutar e brigar para alcançar a igualdade, declare, diga que é igual. Quando você fala, você é. E vai perceber a si mesma em um ponto de partida psicologicamente muito mais elevado.

As mulheres que não se consideram vítimas utilizam táticas de guerrilha. Elas concentram as energias na vitória; não atraindo atenção negativa para si, avançam silenciosamente. Elas não participam abertamente do movimento feminista.

Elas percebem que, da real situação em que se encontram, o único caminho para a vitória é tratar o fato de ser mulher como vantagem, e não como desvantagem. Na verdade, ser mulher é um grande privilégio. É o estado de espírito das felizes e vencedoras.

> Se queremos alcançar uma cultura mais rica em valores contrastantes, devemos reconhecer toda a gama de potencialidades humanas, tecendo uma trama social menos arbitrária, em que cada aspecto da diversidade tenha seu lugar.
> ***Margaret Mead***

6

Onde o céu e a terra se encontram

Ao determinar a disposição das tropas, o mais importante é não deixar transparecer suas intenções, esconder do inimigo motivos e movimentos, de tal modo que nem o mais sagaz dos espiões consiga enxergar através deles.
Sun Tzu (6.2)

Os princípios de *tao, tien, di, jiang* e *fa* prevalecem em todos os aspectos da vida. Além de caberem em nossa vida pessoal e profissional, eles se aplicam igualmente a tudo o que fazemos, inclusive à música.

Os cinco elementos essenciais da arte da música

Tao *representa a expressão criativa do compositor*

Tao é a inspiração divina, a centelha de criatividade que leva a encontrar a solução perfeita e traz a mágica da sincronicidade universal; mas só se você estiver alinhada com a sua bondade inata.

Tien é a sincronização musical

O sucesso ou não de uma determinada composição depende em muito da sincronização musical. Na Viena do século XIX, os ouvidos da população estavam prontos para o novo som da valsa; por isso, Johann Strauss fez tanto sucesso. Em 1960, o mundo estava pronto para um novo som; daí o sucesso da música dos Beatles.

Di são os instrumentos e o talento disponíveis para a execução de uma peça musical

Se você compõe uma música que exige determinada orquestração, mas não dispõe dos instrumentos para produzir aquele som, não vai funcionar. Quando Mozart escreveu a ária "Rainha da Noite", na ópera *A Flauta Mágica*, se não encontrasse a soprano capaz de alcançar aquelas notas fá e sol, teria de mudar a composição.

Jiang é o maestro, o líder

O maestro é quem transforma as notas musicais em mensagem de emoção e, assim, conduz a execução da orquestra conforme sua interpretação.

Fa é a execução, conforme a interpretação do maestro, dos ritmos e notas escritos pelo compositor

Cada músico é uma unidade autogerenciável que precisa alcançar a habilidade musical através da prática disciplinada. O músico deve se esforçar por cumprir a estratégia musical do compositor e a expressão musical do maestro.

Se você tiver deficiência em algum desses cinco elementos, não vai ter uma boa *performance* musical. No entanto, o mistério dos cinco elementos vai muito além do que os olhos conseguem perceber.

A bondade do infinito encontra a finitude da eficiência humana.

Anos atrás, uma leitora da Ásia me deu um pingente de cristal emoldurado por um círculo de ouro, tendo ao centro uma estrela de Davi. Achei estranho que ela me desse uma estrela de Davi e imaginei que não soubesse ser aquele o símbolo da religião judaica.

De algum modo, aquela peça simples me transmitiu muito amor e harmonia, e de vez em quando eu a usava, para sentir o amor das leitoras. De uns dois meses para cá, porém, tenho me sentido tão atraída por ela, que a trago sempre comigo, não tirando nem para dormir ou tomar banho.

Durante uma recente visita aos meus amigos Susan e Greg Bolt em Portland, Oregon, ela olhou para a pequena jóia e disse: "Este colarzinho é perfeito para você; é exatamente o que você deve ser".

"O que você quer dizer? Isto é a estrela de Davi", eu disse.

"É isso mesmo. Veja como o triângulo de cima aponta para baixo e o de baixo aponta para cima. Isso quer dizer que o céu toca a terra, e a terra toca o céu. É o casamento do céu com a terra, do espiritual com o material".

Agora mesmo, neste momento em que escrevo, percebo como a peça é apropriada para o nosso tempo. A bondade nasce espontaneamente; está ligada ao infinito. A eficiência nasce do planejamento; está ligada ao finito. Juntando finito e infinito, unimos céu e terra, humanidade e divindade.

Os princípios de *tao* e *tien* pertencem à bondade do infinito. Eles estão simbolizados no triângulo que se estende do céu à terra. Os princípios de *di, jiang* e *fa* nascem da eficiência humana finita e estão simbolizados no triângulo que se estende da terra ao céu.

O casamento da eficiência com a bondade gera a fórmula da vitória definitiva, para que nós, mulheres, possamos ser tudo o que queremos. Sem esforço e dedicação, porém, esses cinco elementos vão permanecer adormecidos em nossa vida pessoal e profissional.

Devemos ter sido almas muito boas, para receber a dádiva de testemunhar este glorioso tempo de mudança. E com as transformações que ocorrem na economia mundial, temos uma ótima oportunidade de reposicionamento.

Receba bem estes agitados e maravilhosos tempos de mudança no poder, na riqueza e no estado de espírito. Nestes novos tempos, novos personagens surgirão e novas idéias serão adotadas, fazendo desaparecer as antigas.

É a nossa vez de saltar até patamares mais elevados, aproveitando as oportunidades que só podem ser vistas por olhos mais atentos.

Nós – as Novas Mulheres – teremos contribuído para a transformação
da consciência humana sobre as diferenças sexuais,
levando a um mundo então ignorante o entendimento
da verdadeira natureza da feminilidade,
mudando a história humana, antes apenas masculina,
para uma história feminina,
alçando a mulher da indignidade de uma posição inferior
até a plataforma da verdadeira igualdade,
passando de um papel secundário a estrelas do belo drama
da humanidade, que se desenrola no palco do futuro,
e sendo nós mesmas – entusiasticamente inovadoras,
capazes de rápida adaptação, brilhantemente criativas,
gente que aprecia o prazer de vencer,
quer usemos sapatinhos de cristal ou botas de combate.

CONHEÇA TAMBÉM OUTRO

O SEGREDO DAS CRIANÇAS FELIZES

STEVE BIDDULPH

Bestseller em dezessete países. Um texto apaixonante, repleto de orientações práticas, essencial na nobre tarefa de educar crianças felizes.

CRIANDO MENINOS

STEVE BIDDULPH

Quem tem meninos hoje está preocupado. Toda hora eles enfrentam problemas. Os pais gostariam muito de entendê-los e de ajudá-los a serem amáveis, competentes e felizes. O livro discute de forma clara, leve e emocionante as questões mais importantes sobre o desenvolvimento de um homem, do nascimento à fase adulta. Para mães e pais de verdade.

QUEM VAI EDUCAR SEUS FILHOS?

STEVE BIDDULPH

Um guia estimulante, envolvente e prático para pais e mães muito ocupados, mas comprometidos com o futuro de seus filhos.

IVROS DA FUNDAMENTO.

CRIANDO ADOLESCENTES
COMO PREPARÁ-LOS PARA OS DESAFIOS DA VIDA

MICHEL CARR-GREGG & ERIN SHALE

A adolescência mudou. Os jovens entram na puberdade mais cedo e só vão sair da casa dos pais bem mais tarde. A sociedade moderna gostaria que eles logo alcançassem o amadurecimento emocional. Mas isso não é simples...
A boa nova é que **Criando Adolescentes** revela os conhecimentos e estratégias de que os pais tanto precisam.

POR QUE OS ESCOLHI VOCÊ?

STEVE BIDDULPH

Todos nós precisamos, diariamente de contatos que envolvam confiança e profundidade. Precisamos de constante interação para discutir nossa vida com pessoas que conhecem e que valorizam nossas palavras e ações. Precisamos do desafio de compromissos de longo prazo, de uma história que é longa, profunda e, algumas vezes, difícil, mas que vale a pena a cada segundo.

POR QUE OS HOMENS SÃO ASSIM?

STEVE BIDDULPH

Um livro emocionante, para entender os homens e ajudá-los a encontrar a felicidade. Mais um bestseller internacional de Steve Biddulph.

ww.editorafundamento.com.br
tendimento: 0800 600 77 33

EDITORA FUNDAMENTO

CONHEÇA TAMBÉM OUTRO

INVESTIMENTOS
COMO ADMINISTRAR MELHOR SEU DINHEIRO
MAURO HALFELD
De maneira clara e didática, Mauro Halfeld está fazendo uma mudança radical na maneira como os brasileiros administram seu dinheiro. Bestseller nacional, foi indicado ao Prêmio Jabuti 2002.

EMAGRECER
DRA. KARLA SAGGIORO
Emagrecer e manter o peso pode não ser uma tarefa tão difícil. Com casos reais e recomendações práticas, a Dra. Karla Saggioro revela estratégias para você superar a tendência genética para engordar, vencer a fome emocional e a falta de vontade de praticar exercícios.

IVROS DA FUNDAMENTO.

SEU IMÓVEL
COMO COMPRAR BEM

MAURO HALFELD

Jma leitura agradável, leve e bem humorada, onde o leitor escobrirá a melhor estratégia para comprar a casa própria e investir em imóveis.

VOCÊ É DEMAIS QUANDO...

CARLA OLIVEIRA E ALEXANDRE BOCCI

Uma alegre seleção de situações românticas para encantar pessoas especiais.

VOCÊ NUNCA ESTÁ SÓ

ANTOINETTE SAMPSON

Uma notável combinação de palavras e fotos que pretende criar um sentimento especial. Um sutil lembrete de que, sejam quais forem as circunstâncias, você nunca está só.